教養を深める

人間の「芯」のつくり方

森本あんり
Morimoto Anri

PHP新書

はじめに

わたしは強制収容所の生き残りだ。わたしは、人の目が見てはならないものを見てきた。優《すぐ》れた技術者がガス室を作り、教育のある医師が児童に毒を盛った。熟練した看護師に幼子が殺され、大学出の知識人に女と子どもが撃たれて焼かれていった。だからわたしは教育というものに懐疑的だ。

これは、児童教育の専門家であったハイム・ギノットの言葉です。ほとんど大学教育に対する断罪と言ってよいと思います。もし教育を受けることでこのような結果が生まれるのなら、そんなものは不要なばかりか有害でしょう。だから彼はこう続けるのです。

わたしの願いは一つ。学生たちが人間らしく成長できるよう助けなさい。学識ある怪物、技術に強い病的反社会人間、教養あるアイヒマンを生み出してはならない。読み書きも算術も、子どもたちをより人間らしく育てるのでなかったら、何の役に立つだろうか。

本書は「リベラルアーツ」についての本です。大学関係の人にこの言葉の意味を尋ねると、いろいろな答えが返ってきます。異なる分野を横断的に学ぶとか、入学時に専攻を決めてしまわないとか、特徴のつかみ方も一つではありません。でも、それらはリベラルアーツという学びのシステムを説明しているにすぎません。そういうシステムを用いて何を実現しようとするのか。その目的を、このギノットの言葉ははっきりと言い当てています。リベラルアーツとは、「人間をより人間らしく育てる」ことを目的とした教育です。

人間という生物は、環境次第でとんでもなく非人間的にもなり得ます。教育を受けて知識や技術や能力を身につければつけるほど、それを善にも悪にも用いることができるようになります。学校教育だけの話ではありません。社会人になってから修得する知識や技術も同じです。とりわけ、人間らしくあることが困難な状況にあって、なお人間らしさを失わずにいることは、誰にでも簡単にできるというわけではありません。今日の世界を覆っている戦争と貧困、抑圧と不正義のなかで、それでも人間らしくあることを貫こうとすれば、やはりどこかで腹をくくる覚悟が必要になります。リベラルアーツとは、人が人であることを貫くために必要な精神の力を養う学びのことです。

＊　＊　＊

本書で対談をしていただいたお相手のうち三人は大学関係者ですが、本書を手に取る人の多くは、必ずしも「大学論」としてのリベラルアーツに興味がある、というわけではないでしょう。近年は、企業のなかでもリベラルアーツと銘打った研修が盛んです。私もよく実業界の次世代リーダー育成を掲げる講座の依頼を受けますが、金融や財務の専門家たちが日頃の業務をそっちのけにして迂遠《うえん》な哲学や歴史の問題に向き合っている真剣な姿を目にすると、時代の変化を感じます。このカタカナ言葉が、高校生から企業人まで、ようやく大学の外でも市民権を得るようになったということでしょう。

一方、街の本屋さんに行きますと、店頭には「教養」を身につけるためのガイドブックや、短時間で学べる古典のダイジェストなどが所狭しと並んでいます。現代人は、教養の大切さ、少なくとも教養があると思われることの大切さについては、十分に理解しているように思います。本書に収録した対談では、「ファスト教養」などの流行現象についても何度か触れられています。

では、いまこの本を開いている読者のあなたにとって、それはいったいどんな意味をもちそうな言葉でしょうか。ここは私の推測ですが、企業で働く社会人が「リベラルアーツを学び直したい」「教養を身につけたい」と思うとき心に思い描いているのは、「あれこれのスキルを手に入れてキャリアアップにつなげたい」などという世知辛い目的とはちょっと違う何かだろうという気がします。それはむしろ、「学生だったあのころにもう一度帰って勉強に没頭してみたい」「あのころの純粋な気持ちで、人間を内側から駆り立てる理念や理想の力に触れてみたい」「小さな会社人生の殻を脇に置いて、社会の大きな見取り図を自分なりに描き直してみたい」という漠然とした憧憬の思いではないでしょうか。

まさにそれが、本書でお伝えしようとしているリベラルアーツの輪郭です。大学は長い社会人生活の出発点にすぎませんが、そうであるからこそ、大学での学びは現実の背後にある「理想」や「理念」や「思想」の力に触れる場であるべきだ、と私は思います。大学は、もちろん知識や技能を学ぶところでもあります。でも、それらにも増して私がいちばん大切だと思うのは、学生に「志」を与えることです。卒業後も胸の奥深くにずっと燃え続けるような「信念の灯」をともすことです。学生たちに、臆面もなく理想や理念を語り、夢と幻を見させることです。歴史を通して人びとが求め続け、なお達成することのできない何かを、それでも追い求め続けるべき尊《とうと》い価値として提示することです。そのような理念の駆動力がなければ、どれほど環境を整え質の高い教育を施《ほどこ》しても、学生たちは与えられた餌を食べて肥え太るだけの従順な家畜にしかなりません。

実現するための手段は、後から学べばよい。おそらくそんなに簡単な手段など見つかるはずもありませんから。失望や幻滅も後で必ずやってくるでしょう。青臭い理想論など、冷徹な現実社会では何の役にも立ちませんから。だが、それでも生涯を通して学び続け、いつかそれに少しでも近づきたいと思う内的な促しの力をもち続けることができるのは、若き日の胸の内に志と信念の深みを宿すことのできた人だけです。企業が本当に求めているのも、そういう静かな志を湛《たた》えて、自分を忘れるほど何かに打ち込むことのできる人でしょう。そういう人が、やがて日本や世界を変えてゆくのだろうと思います。リベラルアーツとは、生涯にわたってもち続ける人間の「芯」をかたちづくる学びのことです。

教養を深める

目次

第三章 宗教は「学ぶ」ものではない 五木寛之×森本あんり

第四章 「国語と教養」を軽視する愚かさ 藤原正彦×森本あんり

第五章

日本人が「新しい知」を生む時代へ

上野千鶴子×森本あんり

第六章　ChatGPTで教養は得られない

長谷川眞理子×森本あんり

第一章

リベラルアーツの歴史点描

リベラルアーツの解説本を開きますと、だいたいそのルーツは古代ギリシアにあると書かれています。本書でも最初にその歴史を辿《たど》っておきますが、詳細な解説はどこか別のところでお読みいただくとして、ここでは今日の読者にとって意外で面白くて大事な意味をもつ、と私が勝手に思っているハイライトだけを取り上げて説明しておきます。

自由人になるための教育

「リベラルアーツ」という言葉は、直接にはラテン語の〝artes liberales〟を英語化したものですが、そのラテン語はさらに〝enkyklios paideia〟というギリシア語に遡《さかのぼ》ります。「パイデイア」という言葉は、子どもたち（paides）を教える教育のことを指します。これに「エンキュクリオス」すなわち「円環的な」という形容詞がついて、人間性全般を広く涵養《かんよう》する教育を意味する言葉になりました。

プラトンの対比によると、「パイデイア」とは言葉を使う自由人のための教育であるのに対し、「テクネー」は手を使う職業人のための教育です。前者は知育・徳育・体育を含む全人教育であり、後者は特定の専門技術を学ぶ職業教育です。単に知識や技術を学ぶのでなく、知恵や節制や勇気といった人間に固有な徳をはぐくみ、人格全体の成熟と自律を促す、というのがリベラルアーツの古典的な定義です。

もっとも、この場合の「自由人」とは、生まれにより奴隷《どれい》でない人のことでした。「リベラル」という言葉は、教育の内容というより、その教育を受ける人の階層を意味していました。もし「リベラルアーツ」という言葉に貴族的でエリート主義的な臭いがあるとすれば、それはこういう由来によるものです。後に記すように、お金と時間が自由に使える特権階層のための教育というこの性格は、中世から近代を通してごく最近まで変わることがありませんでした。戦前の日本に見られた旧制高校の教養教育も、その一端です。第三章の対談で五木先生が「教養」や「リベラルアーツ」という言葉に感じておられる「上品ぶった」「階級的」な臭いも、この成立事情が関係しているでしょう。

今日のリベラルアーツ教育は、こうした階級的な問題性を強く意識するようになっています。それは、生まれのゆえに「自由である」人のための教育から、誰もが「自由になる」ための教育へと変わってきました。人はそのために、知らず知らず自分に染み込んでいる社会の偏見や通念から解放されて、人の意見に耳を傾けつつ自分で考えたことを、相手に理解してもらえるように伝えることができなければなりません。これが「リベラル」の今日的な意味です。昨今では、色づけされた「リベラル」という言葉に代えて、「全人教育（Whole Person Education）」という言葉も使われるようになりました。この現代的な読み替えは、ギリシア・ローマ時代の「円環的な」教育理念からすると、由緒正しい読み替えであると言えます。

一芸に秀でてはいけない

現代のわれわれから見てちょっと面白いのは、芸術に対する評価です。音楽や美術などの芸術は、今日ではリベラルアーツの中心にある華のような存在と考えられているでしょう。しかし、古代ギリシアの人びとはちょっと違う見方をしていました。

たとえばプラトンにとって、国家の教育は広義の音楽と体育で始まりますが、それは優れた魂と身体をつくるために必要な徳を養うものでした。ただし、その魅惑ゆえの警告もされています。プラトンは、とくに笛を嫌いました。『饗宴《きょうえん》』では、ソクラテスたちが真面目な話を始める前に、まず笛吹き女たちを去らせています。『国家』では、笛の音はある程度までは魂を豊かにしてくれるが、やがてお酒のように人を酩酊《めいてい》させて魂を溶かし流してしまう、と警告しています。

アリストテレスも、いかにして音楽を教育に組み入れるかを慎重に議論しましたが、やはり笛だけは嫌いだったようです。吹いているあいだは会話ができない。だから歌詞（ロゴス）のない笛は、人間の思考に何の貢献もしない、というわけです。笛を吹くと顔の外観が損なわれるから、とまで書いています。

古代ギリシアの人びとにとって、人間の幸福は労働ではなく余暇にありましたから、音楽はその余暇を自由人にふさわしく優美に過ごすための方法として位置づけられました。つまり、読み書きや体育は市民生活に役立つけれど、音楽は「役に立つ」からではなく「余暇を過ごす」ために学ばれるのです。ここから、別の考え方も出てきます。自由人たるものは、美しい旋律とリズムを聴いて楽しむことができればよい。つまり、音楽は自分で演奏するのでなく、他人の演奏を聴いて楽しめばよい、という考えです。ゼウスは音楽を楽しんだけれど、自分で演奏をしたりはしなかった。それと同じように、演奏は雇われ人に任せておけばよい。人に聴かせようとすると、どうしても自分の徳のためではなく、聴く人の快楽のために演奏することになる。だから自由人は自分で演奏するべきではない、というのです。まして専門家が競い合って演奏技術を磨いたり、驚くべき非凡な演奏を目指して労力を注いだりすることは、教育においてはぜひとも避けるべきだ、というのが当時の見解でした。

他にもアリストテレスは、現代の音楽家たちが聞いたら腹を立ててしまうようなことを書いています。ただ、彼の主張で大事なのは、人間はオールラウンドに自分のもてる能力を開花させるべきであって、どれか一つの徳だけを突出させて高めることはよろしくない、ということです。音楽に限りません。若者が体育だけに秀でていれば、国家の戦争には役立つかもしれないが、市民生活には向かなくなってしまうでしょう。一つの徳だけを追求すると、円環的な成熟が妨げられる、ということです。リベラルアーツの目的は、善いスポーツ選手や善い音楽家をつくることではなく、まずは善い人間を育てることなのです。これは「ギフテッド」の子どもをどう教育するか、という今日的な話題にもつながりますので、第六章の長谷川先生との対談をお読みください。

じつは、このように自分で書いていながら、最近はその説明に少し自信がなくなってきました。対談でもこの話が出たのですが、現代の大谷翔平さんや藤井聡太さんの活躍ぶりを見ていると、一つのことに突出していながら、しかも人間性もきちんと豊かに兼ね備えている、という若者につくづく感心してしまいます。彼らを見たら、アリストテレス先生も自説を訂正したいと思うかもしれません。まあ例外はいつの世にもいる、ということにしておきましょう。

教養あるジェントルマン

リベラルアーツの解説でよく見られるのは、「自由七科」、すなわち文法・修辞学・弁論術という文字系の「三学（trivium）」と算術・幾何《きか》学・音楽・天文学という数字系の「四科（quadrivium）」です。これらは、その呼び名や組み合わせなどがギリシア・ローマ時代から中世ルネサンス期を通してさまざまに変化しますので、本書では詳述いたしません。

リベラルアーツの歴史で私が次に大事なポイントだと考えているのは、中世から近代へと移りゆく時代の、とりわけイギリスからアメリカへ移植された大学教育の姿です。アメリカ大陸にできた最初の大学はハーバード大学で（創立一六三六年）、その後、独立革命までにイェール大学やプリンストン大学など九つの大学が創立されます。当時は大学入学前の中等教育という概念がありませんでしたので、学生はいまよりずっと早く、十四歳くらいで入学しました。だから当時の大学では、高度な学問や職業の選択に役立つ教育というより、人格形成のための養育が大きな目的だったのです。優れた人格者が親代わりの教師となり、寮生活をする学生たちの生活全般を含む教育を指導し、学問ばかりでなく規律と道徳を教えて、信仰深く教養あるジェントルマンを育成する、というのが大学に期待されていた役割でした。

教えられる内容も、十七世紀はまだ中世以来の人文主義的な古典教育とほとんど変わりませんでした。教え方も少人数の対話やチューターによる講義で、授業はラテン語で行われました。一六四二年にはヨーロッパの大学に倣《なら》って最初の卒業討論が公開されましたが、その題目を並べてみると、こんな内容です。「存在するものはすべて善か」「因と果は同時か」「意志は形相的に自由か」「賢慮は知的徳か道徳的徳か」「ヘブライ語はすべての言語の母か」――いずれもきわめて形而上《けいじじょう》学的で、実証や観察を含む近代的な学問からは遠く隔たっていることがわかります。

なお、リベラルアーツはこの当時から「アーツ&サイエンス（Arts and Sciences）」と称されておりました。今日の大学でも「リベラルアーツ&サイエンス」という学科名称をもつ大学がありますが、これを見て「リベラルアーツ」に後から「サイエンス」が付け加えられたかのように誤解する方があるかもしれません。じつは、後の対談でも何度か出てきますが、これは「リベラルアーツ＝文系」という根強い思い込みにともなって生じた誤解です。リベラルアーツには、遠くギリシア時代から、いわゆる「理系」が含まれています。ここに言う

〝Arts and Sciences〟は「文系と理系」という意味ではなく、まして「芸術と科学」でもありません。当時の用語法では、どちらも〝liber homo〟すなわち「自由人」を育てる知の全体を意味しておりました。〝Science〟が現代的な「自然科学」という意味に特化して用いられるようになったのは、十八世紀以降のことです。

ドイツの大学に迫られた変革

ところが、十九世紀になると、こうした牧歌的なアメリカの大学教育界に次々と変革の波が押し寄せてきます。一八一〇年にはベルリン大学（現フンボルト大学ベルリン）が創設されますが、新しい学問を求めてドイツの大学へ留学したアメリカ人は、大学とは研究をするところである、ということを知って大きな衝撃を受けます。古典の読解を中心とする人文主義的な教育では、学ぶべき知識は万古不変で過去に蓄積されている、と考えられていました。新しい専門職的な研究では、知識は実験と観察によりこれから発見され拡大されるべき未来にあると考えられます。研究は職業になり、それにつれて専門ごとの分化が進み、「科学」が現代のような研究を意味する言葉として多用されるようになりました。

ヨーロッパの進歩に目を見張ったアメリカ人は、国内の大学教育が時代遅れであると強く感じて改革を始めます。一八六二年にリンカン大統領が署名して成立した「モリル法」は、その一契機になりました。これは国有地を払い下げて各州に州立大学を設置することを促した法律で、これによってできた「土地付与大学」は、アメリカ全土に高等教育の機会を大きく広げる役割を果たします。新興国家アメリカの経済発展を支えるためには、とくに農業と工業に力を入れねばなりません。こうしてつくられたのが、カリフォルニア大学やマサチューセッツ大学やイリノイ大学など、多くの有力州立大学です。テキサスA&M大学のように、いまでも〝A&M〟つまり〝Agricultural and Mechanical〟という名称を残している大学もあります。農学と工学という実業的な教育目標を掲げ《かか》た大学は、人格主義的なリベラルアーツ教育を否定したわけではありませんが、その比重は大きく減ることになりました。

一八六九年には、ハーバード大学の学長にチャールズ・エリオットが就任します。いまならどこの大学のカリキュラムにも「必修科目」と「選択科目」があることでしょうが、昔の大学に「選択科目」は存在しませんでした。すべての学生が同じ科目を必修で取ったのです。何を学ぶべきかは、学生ではなく大学が決める、ということです。エリオットは、学長就任の演説でこの制度の見直しを宣言しました。学生は、気の進まないままに大学が定めたお仕着せの授業を強要されて受けるのではなく、自分の適性や嗜好《しこう》に合わせて自由に選択した科目に情熱をもって取り組むべきだ、というのがその理由です。こうしてハーバードの必修科目からは古典が消え、入学資格要件からはギリシア語が廃止されました。これによって同大学は、植民地時代から続いていたリベラルアーツのカレッジから現在のような総合ユニバーシティとなり、他大学もこれに追随してゆくことになります。エリオットが在任した四十年のあいだに、ハーバードの教授陣と寄付金はそれぞれ一〇倍に膨れ上がりました。大学としては大成功ですが、リベラルアーツ教育にとっては逆風になりました。

一八七六年には、専門研究を行う初の大学院大学としてジョンズ・ホプキンズ大学が創立されます。この経緯は、第五章の上野先生との対談でも出てまいります。鉄道会社への投資で巨富を得たジョンズ・ホプキンズは、クエーカー信徒であったため、その遺産を将来の世代を育てる新しい大学のために寄贈したのです。同大学には多くのドイツ留学経験者が教員として集められました。ただ残念なことに、研究に専念したい彼らは、学生の教育にはあまり熱心ではありませんでした。教授は学生に背中を見せるだけで、あとは学生が自分で勉強すればよい、という考えだったのです。これは日本の大学でよく聞く台詞《せりふ》になりました。

戦争の時代への反省

しかし、こうしたドイツ式の大学と専門研究志向が行き着いた先は何だったか。それが第一次世界大戦だったのです。一つの専門だけを深く学び、科学の進歩を至上の課題として追求し続けた結果は、人間性の否定であり、文明の破壊であり、知性の荒廃であった。その歴史から、リベラルアーツが掲げ続けてきた人間や世界を全体として見る学びの必要性が見直されるようになりました。

急速な知識の拡大によって生まれる混乱を見通すために、アマスト大学では「概観(survey)コース」が設置され、新しい世界における方向感覚を修得させるようになりました。コロンビア大学では、「現代文明論」が一年生の必修授業に指定されます。これは、哲学や歴史学や政治学を通して現代世界の対立構造を理解し、その背景を探ろうとする授業です。西洋世界全体を巻き込んだ戦争の原因は、西洋世界が構築してきた文明の全体を見渡し、これを批判的に吟味する力がなければ理解できません。日本文学者のドナルド・キーンは、若き日にコロンビア大学で受けたこの授業が自分の人生選択にとってどれほど重要だったかを語っています。

一方シカゴ大学では、弱冠三十歳のロバート・ハッチンスが総長に就任し、「グレート・ブックス」方式に基づいた教育を唱えます。これは、プラトンやアリストテレスに始まる世界の歴史的な古典を一〇〇冊ほど指定し、卒業までに徹底して読ませるプログラムです。書物が氾濫《はんらん》し、何を読んだらよいかもわからなくなっている学生に、誰でも頼ることのできる「不滅の教師」の存在を示して、民主主義や正義といった現代の「大きな問い」に広い視野から取り組むことを求めました。特定の学科で特定の専門ばかりを学ぶのではなく、他分野の学生と交流し議論を重ねることで、どのような職業に就いても必要な知的能力を養う。それこそが大学の使命だと論じたのです。ハッチンスのもとで学んだ学生の一人に、天文学者のカール・セーガンがいます。彼はそこで、科学を孤立した分野としてではなく、人間の知が織りなす厚い知という全体の一部として学んだことに深い感謝を述べています。

ハッチンスの理想主義は、大学内の改革にとどまりませんでした。大学は、お粗末な職業訓練所と化してはならない。むしろ大学の後で、大学の外で、世界全体が理性的秩序の再建に向かわねばならない、というのが彼の信念でした。そのために彼は、ブリタニカ大百科事典の出版社とタイアップして西洋古典を親しみやすい英訳にして刊行し、一般市民に届けるという巨大な商業企画にも携わっています。

市民社会の要となるリベラルアーツ

それでも、リベラルアーツの理念が時代の趨勢《すうせい》になったと言うことはできません。知識の断片化と学問の細分化、倫理や歴史や哲学といった全体的な視点の欠落、未熟なまま専門化することの危険などが意識されるようになるには、世界はもう一度、戦争という深く大きな痛みを経験しなければなりませんでした。

一九四五年、第二次世界大戦終結の年に一冊の報告書が出ます。正式な題名は『自由社会における一般教育』ですが、その赤い表紙が戦後アメリカの高等教育界で大きく注目を集めたので、「赤本（Red Book）」と呼ばれるようになりました。二年にわたる委員会活動の報告をまとめたのは、ハーバード大学の学長ジェイムズ・コナントです。コナントはもともと化学者でした。第一次世界大戦中は毒ガスなどの化学兵器の開発に、第二次世界大戦中は原爆を製造したマンハッタン計画の政策決定に関わっています。ですから、科学が科学だけの推進力によって極限まで進むとどのような結果に至るかを、自らよく知っていた人物と言えるでしょう。その現代史的な批判と反省のうえにまとめられたのが、この報告書です。

　コナントが執筆した同報告書の序文には、現代社会において大学の果たすべき役割が明確に記されています。それは、多様性と統合です。荒廃した戦後秩序の再建は、大学だけでなくアメリカ市民社会の、いや世界全体の課題でもありました。新しい時代の学生には、専門分野が何であれ必ず身につけなければならない市民としての基礎的な教養がある。自由で平和な民主社会は、手段としての技術や専門に特化することなく、歴史的世界と人間生活の全体を見渡すことのできる新しいヒューマニズムによって支えられねばならない、ということです。そして、この新しいヒューマニズムを涵養するのが「一般教育」という理念です。それは、人文・社会・自然という三つの分野にわたって広く学び、かつそれを統合する能力を養う教育です。学生はそこで、効果的な思考、多様な価値を判断する能力、自分の考えを伝達するコミュニケーションの能力などを身につけますが、これらの多くは、伝統的にリベラルアーツが目指していた教育の核と重なっています。

西洋白人男性主義からの脱却

その後もリベラルアーツをめぐる議論は、行きつ戻りつを繰り返します。それまで「古典」と呼ばれてきた偉大な著作も、黒人や女性や移民といった社会的なマイノリティの目からすると、結局のところ西洋の白人男性の文化価値を代弁したものにすぎない、という批判が聞かれるようになりました。価値の多様化した現代では、万人が学ぶべき共通の「普遍的な知」というものはなく、文化も思想も価値もみな複数形であって、どれが標準でも中心でもない、ということです。それを「神々の死」と表現する人もありますが、より正確には「西洋白人男性の神々の死」ということです。

一九五七年に旧ソビエト連邦が人類初の人工衛星「スプートニク一号」の打ち上げに成功すると、アメリカは深刻なショックを受けて科学教育の強化に乗り出します。冷戦と宇宙開発競争の激化とともに、専門教育の早期化が再び進むことになりました。しかし、やがて公民権運動やベトナム反戦運動、女性の権利を求める運動などが盛んになると、振り子のように専門教育ではなく一般教育の重要性が再認識されて戻ってきます。人文科学・社会科学・

自然科学という三つの区分も見直され、流動する学問領域にふさわしい新たなグループ分けがいろいろ提案されました。異なる文化や宗教や価値観の理解、道徳的な判断力の育成などを目指すことは、いまではどの大学でも必須プログラムの一部となっています。リベラルアーツやその根幹をなす一般教育の意義は、時代や文化の変化を敏感に受け止めつつ議論され展開してきたことがわかります。

第二章

「憧れる力」を原動力に

日本のリベラルアーツ教育

以上のような歴史を辿ったリベラルアーツですが、日本における展開の歴史についても、ごく短く触れておきましょう。

戦後日本の新制大学は、アメリカを主体とした連合国占領軍による大きな教育改革から出発しました。改革の中心には「二十世紀の市民たる民衆の教養」としてのリベラルアーツと一般教育という基本構想がありましたが、この構想は占領軍の意向という外圧だけでできたわけではありません。教育基本法や学校制度などの制度的な土台づくりに貢献したのは、文部大臣（当時）の田中耕太郎と東京大学総長の南原繁《なんばらしげる》です。彼らは一年違いでともに第一高等学校（東京大学教養学部の前身）に学んでおり、そこで二人を教えたのが校長の新渡戸稲造《にとべいなぞう》でした。新渡戸がこの二人に与えたキリスト教と精神革命の影響は深甚です。彼自身は「リベラルアーツ」という言葉を使っていませんが、当時の一高生二人が受けた国際主義の教養教育にはその特徴がしっかりと刻まれており、それが後年の教育改革を導くことになりました。新渡戸の教育論は、第四章で藤原先生との対談にも出てまいります。

やがてその新渡戸を初代学長に迎えて、一九一八年（大正七年）には東京女子大学が創立されます。同大学では、「知識より見識、学問より人格、人材より人物」という新渡戸の信念とともに、キリスト教信仰に基づいた個性重視の人格教育が掲げられました。初代学監を務めて新渡戸の後任となった安井てつ学長の言葉には、「当校にリベラル・カレッジの性格をもたしむること」とあり、創立者の一人Ａ・Ｋ・ライシャワー（元駐日アメリカ大使エドウィン・ライシャワーの父）も、「この大学はリベラルアーツ大学である」と明言しています。こうして東京女子大学は、日本のリベラルアーツ教育の嚆矢《こうし》となりました。

若き日に新渡戸の薫陶《くんとう》を受けた田中耕太郎と南原繁という二人は、それぞれ別の道を辿り、奇しくも四十年という歳月の後、ともに力を合わせて「人間性の発展」を掲げる戦後日本の教育の土台づくりに貢献することになります。それは、占領軍に求められたからという急場の間に合わせではけっしてできない、彼らの内に永年培《つちか》われた信念の具現化だったのです。

こうして日本の新しい教育が始動します。戦後の東京大学に設置された教養学部はよく知られていますが、他の国立大学でもそれぞれの流儀でリベラルアーツを取り入れた教育のシステムが模索されました。私立大学では、一九五三年に教養学部一学部制で開学した国際基《キリ》督《スト》教大学があります。開学当時の学長湯浅八郎によると、同大学は「戦前の大学の在り方や世間の大学の期待等に対する反省と批判」に基づき、「責任をとることのできる実力あり道義ある市民」を養成するために、「専門的知識と技術とを習得するだけでなく、人格として、一個の人間として、良識と良心の持ち主であること」を求める人間形成の場として創立されました。

モーレツ社員の育成に変質

しかし、学部ごとの独立性が高い日本の大学では、リベラルアーツの理念はなかなか浸透しませんでした。まもなく高度成長期を迎えると、新生日本の課題とされた市民教育はどこかへ消えてしまい、代わりにモーレツに働くことのできる会社人間の速成が求められるようになります。その後も大学では「教養部」が組織されたり廃止されたりして、一般教養科目は低学年の学生を大規模教室に集めて外部の非常勤教員が教える授業となり、もっとも効率的で安価で退屈な授業となってしまいます。学生たちはこれを「パンキョー」と侮蔑的に呼ぶようになりました。昨今では語学科目やコンピュータ科目、データサイエンス科目などを一緒くたに入れる便利な箱として使われたり、「ゆとり教育」で準備不足の学生たちを大学レベルへと引き上げるリメディアル（補習）教育に数えられたりもしています。

念のため、リベラルアーツについてよく聞かれる誤解をここでいくつか取り上げて説明しておきましょう。まず、その中核部分を構成する「一般教育（General Education）」は、専攻を前提とした初学者向けの導入教育ではありません。したがって大学入学後の一、二年生だけが取る授業ではなく、すべての学年のすべての専攻分野の学生に開かれるべきものです。その学問に初めて触れる学生なら、新しい学びの広がりに大きく目を開かれるでしょうし、専攻の学びと並行して履修する学生は、自分の専門を別の角度から捉え、他領域と関連づけて立体的に考えることができるようになります。

学年も専攻もばらばらな学生を一つのクラスで教えますので、一般教育の担当者にはとても大切な役割が期待されています。狭い専門を教えることは学位を取得したばかりの駆け出しの教員にも可能ですが、当該分野の全体を見渡し、その核心や精髄を専門以外の学生の興味と関連させて教えることは、ベテランの教員でこそできることです。ですからリベラルアーツの「華」と言うべき一般教育は、学外の非常勤教員に頼るべきではなく、自分の大学の各分野で専門科目を教える専任教員でなければなりません。

リベラルアーツの大学が小規模であることも、ここからして当然の要請になります。一般教育を担当する教員は、どこか別の専門学科に所属していてその授業だけを教えに出張してくるのではなく、同じ教員が同じところで一般教育と専門教育の両方を担当してその相互作用を深めることに意味があるからです。教員と学生とのあいだが近いこと、お互いの存在が人格的な交わりのなかにあることも、リベラルアーツ教育の重要な一側面です。第三章の対談で五木先生が「面授《めんじゅ》」という浄土真宗の言葉で表現しておられるのも、このことです。

先述のハーバード「赤本」には、一般教育と専門教育の関係を一本の木にたとえた説明があります。一般教育は幹、専門教育は枝葉。大学教育のいちばん太いところが一般教育で、その先に枝葉が茂る、ということです。ただし、枝葉もまた幹に養分を供給しますので、どちらを欠いても健全な成長は望めません。この相互作用が見えないところでは、リベラルアーツのプログラムがうまく機能しません。これも、本書の対談のなかで繰り返し登場するテーマの一つになっています。

WHATでなくHOW

　じつは、「リベラルアーツ」とはいくつか特定の科目を集めたものではありません。世間ではしばしば「哲学」や「文学」や「歴史学」などがその典型分野のように見なされていますが、これもすでに触れたとおり、本来のリベラルアーツには必ずいわゆる「理系」の学問が含まれていなければなりません。自然科学的な理解なしに、人間の知の全体性を捉えることはできないからです。逆に、哲学や文学や歴史学でも、まったくリベラルアーツとは言えないやり方で教えられることがあるのは、昔ながらの講義一辺倒の授業を思い出せばすぐにわかることです。

　つまり、リベラルアーツとは、教える中身（ＷＨＡＴ）ではなく、教え方や学び方（ＨＯＷ）のことなのです。教員や学生が授業にどう向き合うか、ということです。これも第四章の藤原先生との対談に出てきます。リベラルアーツという言葉がなかなか理解されないのも、ここに一因があるかもしれません。ＷＨＡＴつまり科目名であれば、「あれ」と「これ」というように具体的に名指しするだけですみますが、ＨＯＷだともう少し込み入った説明が必要になります。

　専門化を遅らせること（Late Specialization）も、リベラルアーツの特色としてしばしば語られます。ただし、これもよく誤解されることですが、早いうちは専門の授業を取ってはいけない、という意味ではありません。学問分野によっては、一年生のときから積み上げをしてゆかないと卒業年度に間に合わなくなってしまう、ということがあります。そういう分野では初級レベルの授業を早く取り始めねばなりません。「レイト・スペシャリゼーション」とは、下級学年と上級学年を分けて、上級生になってから初めて専門をやる、という意味ではありません。そうではなくて、入学後すぐに専門のクラスをいろいろ複数並行的に取り始めるが、そのなかから自分が何を専門として学ぶかの「決定」を遅くする、という意味です。だいたい遅くとも二年次の終わりごろまでに専攻を決め、自分でそれを「宣言」する決まりになっています。一般教育と専門教育とは、この意味でも相互に乗り入れが続き、双方向に影響しながら四年間を過ごします。だからリベラルアーツの教育課程は、一、二年生だけのものではなく、四年間を通して続くのです。

人生を選び取る自由

リベラルアーツについて高校生と話すとき、彼らがいちばん興味をもつのはここだろうと思います。昨今の高校生は、大学に行って何を勉強したらよいかを決めることができずに悩みますが、考えてみるとそれは当然のことだろうと思います。大学で何を学ぶかを、高校生の知識で決めねばならないなんて、どだい無理な話です。「歴史学」や「生物学」なら、高校の授業を受けていれば少しは内容の推測がつくかもしれません。しかし、たとえば「言語学」とか「宗教学」などはまったく想像もつかない内容になるので、そもそも選びようがありません。だからまず学部や専攻を決めずに入学し、実際に授業を経験した後で選択するべきなのです。

ところが、日本の多くの大学は、医者になるには医学部、法律家になるには法学部と、入学時に学部を選ばねばなりません。まだ入学もしていないのに、卒業後を見越して学部を決めるのです。それは、入学と卒業のあいだに挟まれた貴重な数年間に、進路について考え直すことが一切ない、という前提でつくられたシステムではないでしょうか。大学自身が大学での学びの意義や広がりを否定するにも等しいと思います。

もとより、私もそこに身を置いているので、学生を受け入れる側の都合もよくわかります。学部ごとに決められた人数を入学させて、同じ数をそっくりそのまま四年で卒業させるのが、大学としてはいちばん手間要らずで楽なのです。でも本来なら、おそらく人生のなかでいちばん重要なこの時期に、学生は自分の将来を見つめ、それまでの常識や通念を問い直し、進路を模索して変更する自由がなければなりません。大学は、できる限りその自由を尊重できるシステムを用意するべきだろうと思います。

医師でも法律家でも、リベラルアーツの学部を経た後に専門の大学院で学ぶほうが、人間についてのより深い理解ができて、職業上もよい成果を生むように思います。アメリカの大学制度では、そういう専門職へ進む道としてリベラルアーツの大学はよく機能しています。

リベラルアーツの持続的効果

このことに関連してもう一つよく聞かれるのは、リベラルアーツだと大学院に行ってから不利になるのではないか、という問いです。これにはイエスとノーの両方でお答えしておきます。はい、他大学で専門ばかり学んできた学生に比べると、最初の一年は少し苦労するかもしれません。専門の授業にかけてきた時間数が少ないので、「なんだ、そんなことも知らないのか」と言われる場面があるかもしれません。でも、問題はそこからの伸びです。高い山をつくろうと思ったら、まずは広い土台をつくることです。それは、砂場で遊ぶ子どもなら誰でも知っている真実です。

じつは、アメリカの大学で博士号（Ph.D.）を取得する学生がどのような大学から来たか、という統計を見ると、小規模リベラルアーツ大学の出身者の割合が非常に高いことがわかります。学生数が一〇〇〇人以下から二〇〇〇人台のリベラルアーツ大学では、スワスモア、カールトン、ウィリアムズ、グリンネル、ハヴァフォード、アマスト、ヴァッサー、ポモナ、ウェルズリー、ウェズリアン、スミス、ボウディン、ミドルベリーといった大学の名がよく上位に挙がっています。それは、ハーバード、MIT、イェール、プリンストン、スタンフォードなどのいわゆる名門大学と肩を並べています。

科学の最先端をゆく学者、たとえばノーベル賞を取るような飛び抜けた頭脳をもつ科学者についても、リベラルアーツの出身者が比率的に多いことが知られています。リベラルアーツの大学はみな小規模だし、そのなかで自然科学分野を専攻する学生の数はさらに小さくなります。たとえば工学の分野では、全米の卒業生の三％にすぎません。ところが、アメリカ科学界でもっとも権威のある「全米科学アカデミー」に選ばれた人を見ると、その二〇％がリベラルアーツ大学の出身なのです。これは、ノーベル化学賞を受賞した人の調査によるものですが、執筆者本人も、グリンネル・カレッジという田舎の小さなリベラルアーツ大学の出身者です。

なぜそういう結果が出るのかについては、諸説があります。小さな大学では教授本人が少数の学生に日常的に細やかな配慮ができますが、大きな大学では多くの人数を教えねばならないので、教室での学びが大学院生やポスドク（博士研究者）に委《ゆだ》ねられてしまうからだ、という人もあります。新しい発見や着想を得るには、同じ専門ばかりの仲間よりも、さまざまに異なる分野の学生が交流する環境のほうがよりよい訓練になるからだ、という分析もあります。いや、そういう小規模リベラルアーツ大学は、もともと入学時から学力の高い学生を集めているからだ、という意見もあります。近年では科学の実験などにも大きな高額の装置が必要なことがあるので、この趨勢は少しずつ変わってゆくかもしれません。それでも、大学院でない学部教育におけるリベラルアーツの意義は十分にご理解いただけるように思います。

企業が求めるリベラルアーツ教育

とはいえ、アメリカでもリベラルアーツの意義や価値が十分に認識されているわけではありません。リベラルアーツよりもＳＴＥＭ科目（科学・技術・工学・数学）を専攻したほうが就職に有利だ、と思い込んでいる学生や親が多いのは、日本と同じです。ところが実際には、多くの企業採用担当者がリベラルアーツ教育を受けた学生を採用したい、と思っているのです。二〇一三年に三二〇人のビジネスリーダーを対象に行われた調査では、七四%がリベラルアーツの教育を推薦しています。また、二〇一八年の世界経済フォーラムが行った調査によると、二十一世紀の職業人はテクノロジーに習熟していることも必要だが、それは全体の一部であって、もっと大切なのは総合的な「人間力（Human Skills）」だと言われています。まさに第一章で見た全人教育、円環的な能力のことです。

変化の激しい時代には、現時点で存在しない仕事やキャリアも生まれるでしょう。リベラルアーツが養うのは、どんな時代のどんな職業にも必要とされる能力です。具体的に挙げると、たとえば創造性や柔軟な発想、分析と判断の批判的能力、読み書きやプレゼンテーションによる効果的なコミュニケーション能力などですが、これらはギリシア時代から言われてきた三学四科の現代的な読み替えでもあります。

私自身が数年前に大企業の採用担当者と話したときも、同じ反応でした。ある大手鉄鋼メーカーの方は、「本質や原理原則への関心」「安定志向を脱して挑戦する精神」「安易に正解を求めず、現状を疑う力」などを挙げ、これらの能力を培うには、少人数で双方向的なリベラルアーツの授業が絶対に不可欠だ、と語られました。同じときにお会いした大手小売業の方は、「広く厚みのある教養」「会社の価値観や理念を共有し体現できる人」、さらには「夢見る人材」という言葉も使っておられました。大企業の採用担当者からそんな言葉が聞けるとは思っていなかったので、とても新鮮な驚きでした。

イノベーションは人間洞察から

なぜ、これらの企業は本質や原理や理念へのまなざしをもつ人を求めるのでしょうか。企業にとって必要なのは「進歩」だけでなく「イノベーション」だからです。経営学者の楠《くすの》木建《きけん》氏は、この二つの違いをこんなふうに説明しておられます。「進歩」は、すでに存在するものの機能をさらに向上させることだが、「イノベーション」には「非連続」すなわち新しい価値次元が含まれている。単にスマートフォンがより軽くなったり、カメラの画質がより高度になったり、電池がより長持ちするようになったりするのは、たしかに「進歩」ではありますが、現在の延長です。それに対して、ウォークマンは音楽を街へ持ち出すという「新しい音楽の楽しみ方」や「新しいライフスタイル」を創造しました。これがイノベーションです。

　では、そのようなイノベーションを生み出すにはどうしたらよいか。それには、人間や社会の本性を捉える力を養うことだ、と楠木氏は書いておられます。ウォークマンは、「音楽をいつでもどこでも楽しみたい」という人間が本来的にもっている欲求に応えた商品です。人間の変わることのない本性に訴える商品なので、需要が爆発して大流行になったのです。もう一つ挙げられているのが、日本のスマートフォンアプリでもっとも多く使われているＬＩＮＥですが、これも「無駄話をする」という人間の本来的な需要に合致したサービスです。逆に、十年ほど前に開発された「スマートグラス」という商品は、「眼球の動きで端末を操作する」というデバイスでしたが、これは人間にとってあまりに不自然なことを要求するため、結局売れませんでした。人間の本性を見極める能力は、このようなところに表れます。

　アップル社も、人間の本性をわし摑《づか》みにする多くの商品を生み出してきました。スティーブ・ジョブズの言葉で言うと、「心が歌い出したくなる」ような魅力をもった商品です。それらは、テクノロジーとリベラルアーツが合体したところでこそ生まれるのだ、というのが晩年のジョブズが行った講演の趣旨でした。これらの例を引いた後で、楠木氏はリベラルアーツのことを「人間洞察」と意訳しています。まことに適切な訳だと思います。

大学院での学びで得るもの

本書を手に取る方々には、大学を卒業して久しい企業人も多いでしょう。そういう方々が最近よく耳にするのは、「リカレント教育」や「リスキリング教育」という言葉ではないかと思います。この二つの言葉は似ていますが、使い方や内容には少し区別があるようです。「リカレント」はもともと「環流」や「回帰」という意味ですので、大学を出て就職した人が、いったん大学へ戻り、学び直した後再び職業へ戻ってゆく、という動きが想定されています。これに対して、より最近の「リスキリング」という言葉は、現在の職業にとどまったまま新しいスキルを身につけることを意味します。リカレントは離職が前提になりますので、いまだ雇用の流動性が十分でない日本の現状ではハードルが高いかもしれません。しかし、離職の必要がないリスキリングなら、これからもう少し広まる可能性があります。ただしその場合には、雇用者の理解と後押しが必要になりますので、本人だけでなくその人が在職する企業にも目に見えるメリットがなければなりません。

　学び直しの場は大学院だけとは限りませんが、これまで説明してきたリベラルアーツの観点から一つ考えておきたいのは、それによってどういう能力を身につけようとしているのか、ということです。大学院で学ぶのは、学部での学びよりも専門性が高いことは言うまでもありません。しかし、その中身は何でしょう。

　もしそれが単にあれこれの特定スキルであるなら、必ずしも学位取得を目的とした大学院で学ぶ必要はないように思います。大学院での学びに特徴的なのは、どのような分野を選ぶにせよ、修士論文や博士論文という大きな研究をまとめ上げる、という課題です。そのためには、研究の目的や現代的な意義を明確にすること、先行研究を網羅的に調べてそのなかに自分の研究を位置づけること、必要な文献や根拠を収集すること、自分の主張を客観的に裏付け、論理的に説明することなどの総合的な知の能力が必要になります。じつは、産学協議会などが行った最近の調査では、こうした全般的な研究遂行能力こそが、企業での実践に役立つ「汎用《はんよう》的なコンピテンシー」の獲得につながることが明らかになっています。

学び続ける企業リーダー

要するに、人は大学ですべての学びを終えることはできない。とすれば、大学で学ぶのは、卒業後も学び続けるための基本的なマインドセットだ、ということになるでしょう。それさえあれば、社会人になっても知の体幹を鍛《きた》え続けることができるからです。

この点では、大学院教育で達成されることも、リベラルアーツの目標と直線的につながっています。大学院では専門知の割合がずっと大きくなりますが、それとともに、より汎用的で総合的な能力が修得されます。そして、その後の人生やビジネスで役に立つのは、専門知であるより分析能力や論理的思考、仮説を立てて検証する力、未知の領域にチャレンジする精神といった継続的に発揮される総合的な能力であり、大局を見通す俯瞰《ふかん》力なのです。

アメリカでは、企業トップの多くが大学院を修了しています。経営者の最終学歴を比べてみると、日本の企業では大学院卒が一五％であるのに対し、アメリカでは六七％と大きく差が出ています。博士課程の修了者に至っては、日本ではほんの二％ですが、アメリカでは一〇％です。日本は他の国々に比べると、大学進学率はほぼ五割でけっして低くないのですが、大学院への進学率になると、とたんに大きく下がってしまいます。国際比較では、日本はもはや「低学歴国」と言わねばなりません。

このことは、国際社会の舞台で働く人には以前から知られておりました。第六章の対談で長谷川先生も触れておられますが、いまの時代に、大学で四年ばかり勉強しただけでは、何かの「専門家」にはとてもなれないのです。少なくとも修士、できれば博士の学位を取得していなければ、責任ある地位に就くことは難しくなりました。今後の日本社会を牽引《けんいん》する若手の企業リーダーの方々には、ぜひお考えいただきたいことの一つです。

AI時代の学び

もう一つ、現代のリベラルアーツを論じるうえでどうしても触れておかねばならないのが、生成ＡＩなどの進化にともなう教育のあり方です。このテーマは、後で見ると対談した四人の先生が四人とも触れておられることがわかり、少し驚きました。

もしあなたがいま、大学に入学したとします。あなたはどのような分野を学びたいでしょうか。「データサイエンス」は官民を挙げて力を入れるブームになっていますし、コンピュータやプログラミングの知識も不可欠でしょう。しかし、特定の人格が関わらない一般的で直線的な知識の領域は、やがてＡＩ（人工知能）に置き換えられてゆくだろうと思います。では、ＡＩが得意でないことを探してみると、何があるでしょうか。現在のＡＩ技術は、膨《ぼう》大《だい》な言語コーパスのなかから、一つの言葉の次に来るもっともありそうな言葉を探してつないでゆきます。とすれば、人間が得意とするのは、そういう一般的な予測があてはまらないことでしょう。

対談した四人の先生がみな話しておられるとおり、言語は思想の窓です。遠い時代や地域の文化、とくにかつては広く使われていたが現代では使われなくなった言語は、電子データで流《る》布《ふ》していないので、ＡＩが扱うことはできません。日本語でも、上代や中世の手書き文をＡＩで拾うプロジェクトは始まったばかりです。自分の言語体系から遠く隔たったサンスクリット語とかアッカド語とかはどうでしょうか。いえ、私も全然知らない言葉ですが。

それから、どんなに時代が進んでも、日常の業務で対人関係をまったく含まない職種というのは少ないだろうと思います。ＡＩは、多くの人の行動パターンを集合的かつ統計的に理解することは得意ですが、あなたの目の前にいる一人の大切な人の心で何が動いているかを察知することには使えません。他人の心の細やかな感情を理解できるようになるには、やはり文学や演劇や歴史の学びが有意義だろうと思います。ここはとくに、生物人類学者の長谷川先生との対談をお読みください。

学びのプロセスも同じです。そこでは、人と人との関わりが大切な役割を果たします。ちょっと思い出してみてください。みなさんが大学の授業で覚えていることは何でしょうか。教えられた勉強の中身だ、というのは奇特な人でしょう。それよりも、教えてくれたあの先生、この先生のことではないでしょうか。「何を学んだか」よりも「誰に学んだか」です。それぞれの先生たちの個性やクセ、専門分野への無条件の傾倒《けいとう》ぶり、教えることを楽しんでいる姿、聞く者の関心を引き立てる能力、質問や対話に喚起されて高揚する精神の輝き。知識だけではありません。文献や資料を扱う際の厳密さ、異なる意見を尊重し、間違いを進んで認める謙虚さ。これらすべては、学生に道徳や人格の深みを刻みつけます。もちろん、すべての先生が高潔な人格を備えているわけではないでしょう。でも、その弱さや欠けも、人と人との向き合いのなかで見えてくるものです。

学びの動機のなかには、あの先生のようになりたい、という「憧れ」が含まれています。誰も「ＡＩのようになりたい」とは思わないでしょう。「ＡＩのような知識をもちたい」ということはあるかもしれません。でも、そういう知識をもった人は、あまり魅力的な人ではないような気がします。

「憧れ」のもつ力

この「憧れ」という言葉に、私はリベラルアーツの大切な要素が隠されているように思います。そこでふと思い出されるのが、大谷翔平選手の言葉です。二〇二三年のワールド・ベースボール・クラシック（WBC）決勝戦では、彼が試合前のロッカールームで語った「憧れるのをやめましょう」という一言が話題になりました。私がここで読者の方々にお伝えしたいことと、ちょっと矛盾しているように聞こえます。でも、もう一度彼の言葉を聞いてみてください。彼は、こう言ったのです。

ファーストにゴールドシュミットがいたり、センターを見ればマイク・トラウトがいるし、外野にムーキー・ベッツがいたり、野球をやっていたら誰しも聞いたことがあるような選手たちがいると思う。憧れてしまっては超えられないので、僕らは今日超えるために、トップになるために来たので。今日一日だけは彼らへの憧れを捨てて、勝つことだけ考えていきましょう。

憧れなかったのではありません。大谷選手も、彼が語りかけた仲間の選手も、みんながみんな憧れていたのです。自分もあんな選手になりたい、とずっと憧れ続けてきたのです。その憧れが、彼らを駆り立て、頂点への挑戦権を得るという高みにまで導いてきました。だから彼は、最後の決勝戦で、今日一日だけは憧れるのをやめましょう、と語りかけたのです。憧れのもつ力は、トッププレーヤーである彼らがいちばんよく知っています。

そして、そういう大谷選手に、やっぱり私たちも憧れるのではないでしょうか。普通の私たちが彼のようになることはできませんが、それでも彼の言葉やふるまいから何かを学びたい、と誰しも思うでしょう。どこかしら自分にも真似のできることがあれば、と思うでしょう。それが「憧れ」の力です。

神々の死の後に

最後に、第一章で触れた「神々の死」とその後のことを考えたいと思います。価値観が相対化し世界観が多様化した現代社会では、すべての人が共通に学ぶべき普遍的な理念など存在しない、という意味の言葉です。そればかりではありません。真実だって普遍的ではない。立場によっていろいろな見方があり、真実なんて結局はどれも人間が勝手につくり上げたものだ、というのがフェイクニュースに慣れっこになった私たちの実感でしょう。

「神の死」という言葉がもともとニーチェに由来することは、多くの方がご存じかもしれません。しかしニーチェは、革命家が圧制者を引きずり下ろして民衆の自由を宣言するような、勝ち誇った口調でこれを宣言したのではありません。むしろ彼は、近代人が価値判断の能力を失い、それとともに自らの人間性を失ってしまったことを痛嘆しているのです。人びとの目の前で昼日中《ひるひなか》に価値の源泉であった神を殺しておきながら、その後も民主主義だの平等だの人権だのと能天気なおめでたい善意をふりまいている楽観的な近代人に辟易《へきえき》していたのです。

このことを指摘して思いもかけずベストセラーになったのが、アラン・ブルームというシカゴ大学の古典学教授が書いた『アメリカン・マインドの終焉』(みすず書房)でした。一九八七年に出版された同書は、大学の授業、とりわけリベラルアーツの根幹にあるべき一般教育の授業が退屈になったことを嘆いています。すべての文化や価値が相対化され矮小化《わいしょう》した時代には、もはや教えるべき道徳も規範も真実もないと言わねばなりません。

人間の理性は、分析し評価し伝達し批判します。しかし、価値を創造することはできません。何かの価値に憧れることは教えられません。そして、人間の生を意味あるものとするのは、そういう何ものかへの憧れなのです。価値を創出するためには、人は自分の内面に立ち返り、カオスのなかから何かを選び取らねばなりません。気概と勇気をもって決断し、それに自分を委ねて歩み出さねばならないのです。ブルームはそれを「天空に向かって憧憬の矢を射る」と表現しました。天高く憧れの矢を放つためには、人は深遠な問題と向き合うことが必要です。それが魂の弓を引き絞り、飛ぶ矢に力を与えるのです。

私は、ここにリベラルアーツの今日的な使命があると思います。何かを解決するためではなく、そもそも解決など不可能だということに気がつくために考える。答えを見つけるためではなく、探し続けるために問う。「はじめに」に記したように、人間がどんなときにも人間性を失わずにいることができるのは、そういう人間存在の本質にごく一部ながら自分もあずかっている、と信じられるからです。絶対的なものはない。だがそれでも、はるかに高く憧憬の矢を射るよう、人びとを挑発する。それが、私の考えるリベラルアーツです。

第三章

宗教は「学ぶ」ものではない

五木寛之×森本あんり

写真:吉田和本

五木寛之

(いつき　ひろゆき)

1932年、福岡県生まれ。戦後、北朝鮮より引き揚げ。52年、早稲田大学文学部露文科入学(中退)。66年、『さらばモスクワ愚連隊』(講談社)で小説現代新人賞、67年、『蒼ざめた馬を見よ』(文藝春秋)で直木賞を受賞。著書に『蓮如』(岩波新書)、『風の王国』(新潮社)、『青春の門』『親鸞』(いずれも講談社)、『私訳 歎異抄』『迷いながら生きていく』(いずれもPHP研究所)など多数。

「面授」によって知を蓄える

森本　五木さんにお目にかかるのは、コロナ禍《か》の前に『中央公論』（二〇一九年一月号）で対談して以来ですね。

五木　もう五年近く前ですか。今年の夏はものすごく暑いもので、あんまり外に出ず、もっぱら森本さんのご本を読んでいました。新潮選書はだいたい読みました。

森本　いやあ、恐れ多いです。汗が出るなあ。

五木　どの本にも知らない世界のことがたくさん出てきて、面白かった。たとえば『反知性主義』（新潮選書）は、僕は自分自身が「ポピュリズムの実践者」であると反省しながら読んだものです（笑）。

森本さんの文章を目で追っていると、不思議と活字が立ち上がって、著者の声が聴こえてくるかのような迫力が伝わってくるのです。

森本　五木さんに尋常ならざる「知の蓄積」があるからこそ、私の拙《つたな》い文章から多くを感じて、ワクワクしながら読んでくださったのでしょう。

以前の対談では、「隠れ念仏」と「隠し念仏」のお話をうかがいました。戦国時代から江戸時代にかけて、九州南部の藩は一向一揆《いっこういっき》を恐れて浄土真宗を禁止しました。それでも信仰を貫いた人びとやその行為が「隠れ念仏」。他方で東北地方の一部で広がったのが、本願寺とのつながりはなく、坊さんも置かずに信仰する「隠し念仏」でしたね。

その隠れ念仏から「カヤカベ教」という秘教の一派が現れたことなど、私はまったく知らなくて、とても面白かった。

五木　以前、『思想の科学』という雑誌がありまして。戦後すぐに創刊されて五十年近く刊行されましたが、その雑誌で何度か「隠し念仏」や「隠れ念仏」をテーマに論じていました。立ち消えになったままですが。

森本　もったいないですね。

五木　はい。浄土真宗の僧侶で、後に龍谷《りゅうこく》大学の学長をされた千葉乗隆《じょうりゅう》先生が、鹿児島県の隠れ念仏について、非常に綿密に研究されていました。カヤカベ教は鹿児島から宮崎県、熊本県辺りを通過して、私の生まれた福岡県まで伝わったといいますから、なかなかのスケールです。

私にも実際、公民館で何かの集まりがあって、何だろうとのぞいてみたら、カヤカベ教の布教だった、というような経験があります。もう戦後の話で、いまはどうなっているやら。

森本　そういうふうに信仰をもちながら、隠れたり、隠されたりしていることを考えると、今回のテーマでもある「宗教を学んで教養を得る」こととはずいぶん距離があるように感じます。けれども同時に、五木さんのお話をうかがっていると、異端とは何かについてあらためて考えさせられます。

五木　異端と言えば、森本さんは『異端の時代』（岩波新書）という素晴らしいご本を書かれていますね。

森本　そういったことも含めて今回の対談は、それぞれが専門とする宗教を引き合いに出しながら、「教養」についてお話しできればと思います。

私は大学人として「リベラルアーツ」とは何かを考え続けてきました。一方で五木さんは作家として、大学の授業では学べない、地に足のついた教養を実践してこられました。

五木　僕はその昔に大学をヨコに出た人間ですから（笑）。森本さんの前で「教養」など大《おお》仰《ぎょう》なことを語ることはできませんが、僕が意識して実践してきたことをあえて言えば、他の人からさまざまな話を聞いて自分の見識を深めていく「耳学問」です。出会った方たちとご一緒に旅をして、風呂に入って、酒を酌《く》み交《か》わす。そうして見聞きしてきた記憶が、現在の僕の血肉となっているのです。

森本　座学だけで教養を培うことはできないということですね。

五木　考えてみれば大昔、奈良時代に官人を務めた太安万侶《おおのやすまろ》は、稗田阿礼《ひえだのあれ》が口に出して繰り返し語った話を聞いて、『古事記』を筆録しました。文字のない時代は、伝承でしか知識を得ることはできなかったのではないか。

仏教でも同じようなことが言えます。浄土真宗に「面授口決《めんじゅくけつ》」という言葉があります。師が弟子に仏法の奥義などを伝授する際、文字で書き記すことなく、口頭で直《じか》に伝える手法のことで、親鸞《しんらん》もそうして弟子に教えを伝えたとされています。

どれだけたくさんの本を読んでも意味はない。いちばん大切なのは、師から肉声を聴き、話されているときの表情や身振り手振りまで、すべてを自身の身の内に感受することだというのです。だから仏教では、ブッダに師事したアーナンダのような面授の弟子たちが記憶している師の話を採録する形で、経典が編まれていったわけですから。

森本　初代のキリスト教でも、迫害があったので、大事な奥義はみな口伝《くでん》です。その場合には、ただ頭で知識を覚えるのでなく、心に刻み込むというか、いわば自分の身体に沁《し》み込ませて「受肉」させることが大事だったのです。

五木　僕もこれまでさまざまな方に「面授」を受けてきました。数え上げれば切りがないくらい、たくさんの「面授の師」がいます。彼らの話をいつか『面授の記』にまとめてみたいと思っているのですが。

僕の言う「面授の師」は、単にお話をうかがった、というだけの存在ではありません。たとえば林達夫さんが深夜、平凡社の編集室に遊びに来て、ウィスキーを片手に、ドストエフスキーやメルヴィルなどの世界の古典を語る。「原本にはだいたい挿絵が入っている。僕はいらないから、君にあげるよ」なんて言いながら。そのときの林さんの様子や口調、場の空気が込められた言葉を、僕は受け取りました。師の教えというのは、活字だけでは伝わらないものだと思いますね。

いまもこうして森本さんと対面で話をさせていただいている。今日は、何冊も著書を読んできたその方がお相手なわけで、こんなラッキーなことはありません。

森本さんはじつは、僕の晩年の面授の師の一人です。本を読んでいると、森本さんの声が聞こえてきます。それが読書の醍醐《だいご》味《み》です。書いた人の表情や声、身振り手振りを目に浮かべながら本を読んでいると、知識が立体的に入ってくるのです。

森本　五木先生に面授なんて、とんでもない。まったく話が逆です。さっきのカヤカベ教のお話も、おそらく本を読んでいるだけではとても知り得ないことで、先生ご自身の経験から面授していただくしかない貴重な内容です。

ファスト教養をどう受け止めるか

森本　「面授」に逆行すると言いますか、最近は「ファスト教養」という言葉が流行《はや》っているように、手っ取り早く教養を身につけようとする風潮がありますね。

五木　大学はどうですか。コロナになって、みんなリモートの画面ばかり見ているのではありませんか。

森本　いいえ、じつは問題はコロナ以前からです。戦後日本の大学は「一般教養」を軽視してきたので、とても貧弱です。非常勤の教員にやらせておけばいいと思っているのです。

でも私のいる大学では、今度まったく新しい一般教養の授業が始まります。専門が全然違う二人の専任教員がペアを組んで、一つのテーマを交替で論じるのです。違う視点が交差する立体的な問答になって、学生も巻き込んだ対話ができると思います。

五木　ほう。それは面白そうですね。でも先生にとっては専門を教えるほうが楽ではありませんか。

森本　まさにそこなんです。学生の前で一緒に議論するので、自分の専門のことでも、予想もしなかったような質問が出てくるかもしれません。先生もすぐには答えられず、いろいろ考え悩むでしょう。そういう姿を見せれば、学生も一緒に考えるようになると思います。まさに五木さんのおっしゃる「面授」のクラスになります。

五木　せっかくの機会なので、ファスト教養に関連して森本さんに一つお尋ねします。たとえば、ドストエフスキーの書物に対して、中途半端に読んでも本領はわからないからと諦《あきら》めて一生手に取らないことと、「三十分でわかるドストエフスキー」などの解説動画を見て、作品の「匂い」だけでも嗅《か》ぐこととは、どちらがよいと思われますか。

森本　難しい問いですね……。何かはっきり特定のことを知りたいときには、大急ぎであらすじを知りたいかもしれません。ちょうど辞書を引くときみたいに。一方で思うのは、本を読むということは、結局誰でも自分のなかに自分なりの「◎◎分でわかるドストエフスキー」をつくることなのではないか、ということです。

五木　それは、どういうことでしょう。

森本　ドストエフスキーの著作を読み了《お》えると、自分のなかに圧倒的な印象が残るでしょう。強烈な場面や人物の言葉、共感したところや疑問に思ったところ。ノートにまとめるかどうかはともかく、それはあくまでも「私にとってのドストエフスキー」です。だから別の人にはあまり意味がありません。

これは「◎◎分でわかるドストエフスキー」も同様で、それはあくまでもそのダイジェストを作成した人が築いたドストエフスキー観にすぎませんから、結局それは他人のフンドシなんです。本を読むことは自分のなかに世界観を構築することですから、他人が整理したノートを読むだけでは教養にはつながらない。やっぱりフンドシは衛生的にも自分のものでないと（笑）。

五木　なるほど。「自分のフンドシ」ねぇ（笑）。

森本　五木さんが、ご自身が立てた問いにどうお答えになるかもお聞きしたいです。

五木　答えは出ていないので僕自身の話をすると、いつもその本の本領を知るために全部読もうと試みるのだけれど、結果的には途中までしか読めなかったことが多かった気がします。学生時代の夏休みにトルストイの『戦争と平和』を読破しようと挑戦したときにも、やはり途中で挫折しましたね。いまだに最後までは読んでない。だから難しい。答えが出ないですね、匂いだけでも嗅いだほうが幸せなのか、匂いを嗅ぐくらいなら食べないと割り切ったほうが幸せなのか、というのは。

森本　ほかに自分の食べたいものがあれば、そっちを食べるでしょうね。

五木　ただそんな僕も、じつは五十代を迎えるころに一時、聴講生として龍谷大学に通ったことがあります。当時はあちこちの教室をまわりましたが、そうした講義でニーチェの言葉を学んだとしても、原典を読んでいるわけではありませんでした。そのとき、ただ先生の話を聴くだけでよいのか、やはり事前に原典にあたっていないと講義を聴講するべきではないのか、僕はいまだによくわからないんですよね。

森本　大学の講義では、学生は教員が話すニーチェ像を聴くわけです。それはその先生が料理したニーチェを味わう、ということかと思います。これも先生によっていろいろな味付けがあるでしょう。その違いを楽しむのもいいし、さらには先生の味付け以前に戻って、自分で生の材料としてのニーチェを味わってみる、ということもありますね。すると、自分なりのニーチェ像ができますから、そのうえで先生の話を聴けば、さらに彫りの深い理解ができるようになると思います。

五木　ということは、やはり最初に自分でニーチェを読んでいたほうが、その面白さがわかるということになりますか。

森本　いえ、そうとも限りません。いろんな人の話を聞いてから始めてもかまわないと思います。ただ、人から人へと渡り歩いて「いろいろ聞きました」と表面的な知識の取得で終わるだけだと、深いところまでは理解できないでしょう。五木さんのように、自分自身が開かれていて、いろんな人の話をそれぞれどーんと受け止め、面白がるのなら、ニーチェ像をすでに自分のなかにある知識や考え方と混ぜ合わせて、新たに理解を深めていくことが可能なのではないでしょうか。

抑圧からの解放としてのリベラルアーツ

森本　そこで一つ、質問です。五木さんがさまざまな方に「面授」されてきたなかで、一貫した問題意識やご自身なりの軸があったと推察します。いろいろな話を聴いても、ただ影響されるだけでは右へ左へフラフラして終わりでしょう。そこに自分の核がないからです。だから、話をいかに受け止められるかも問われるはずです。五木さんにとっての「軸」や「核」とは何だったのでしょうか。

五木　直接の答えになっていないかもしれませんが、僕はつねに「肉声の言葉」を取り戻したいと思っているのです。活字とは十五世紀にグーテンベルクが開発して以来の文化であり、僕も作家としてその恩恵にあずかっている人間の一人です。ただし、活字とはあくまでも、「肉声の代用品」にすぎないと感じています。

僕が小さいころは、師範学校の国漢の教師だった父親に毎日、朝早くに叩《たた》き起こされて『古事記』や『日本書紀』の素読をさせられたものです。「天地《あめつち》の初発《はじめ》の時、高天原《たかまのはら》に成りませる神の名は、天之御中主神《あめのみなかぬしのかみ》……」という『古事記』の冒頭とかね。不思議なことに、そのとき唱えていた言葉はいまでも明瞭《めいりよう》に覚えている。

当時は戦争中でしたから、詩吟などもよく謡《うた》わされましたね。小学校では、軍人勅諭も暗誦《あんしよう》させられました。たとえば「一つ、軍人は禮儀《れいぎ》を正《ただし》くすべし。凡《およ》そ軍人には上元帥より下一卒に至るまで、其間に官職の階級ありて統屬《とうぞく》するのみならず、同列同級とても停年に新舊《しんきゆう》あれば、新任の者は舊任のものに服従すべきものぞ……」などの条文が五箇条あって、全部読むと二、三十分かかります。それが全部、いまも頭に残ってます。これが厄介《やつかい》で、脳のなかに居座っているものだから、新しい知識の入るスペースがなくなると、いつもぼやいています。

森本　活字をただ黙読するだけではなく、声に出して繰り返し唱えると記憶に残りやすいでしょう。

五木　そう、一生消えない。あと、戦争中の教養で言えば、海洋少年団に無理やり入れられたので、モールス信号を覚えました。

森本　えっ、覚えてらっしゃるのですか？

五木　覚えてますよ。たとえば、「イ」なら「トツー」で「イトー」、「ロ」なら「ト・ツー・ト・ツー」で「ロジョーホコー」、「ハ」なら「ツー・ト・ト・ト」で「ハーモニカ」と、語呂合わせのようにして覚えました。単音の「ト」と長音の「ツー」の組み合わせを、覚えやすい単語に当てはめて。このモールス信号を使って、カンニングをしたこともありましたね。

そうそう、手旗信号もできます。新人のころ、作家のパーティーに呼ばれたときに、何か芸をやれと言われて、困ったあげくに「では、手旗信号をやります」と披露《ひろう》しました。全然、ウケませんでしたが（笑）。

森本　それはすごいですね。

五木　思い返すと、ある種の強制的な教育でしたから、リベラルアーツと言うより「強制アーツ」、あるいは「戦争アーツ」とでも言うべきかな……。でもそうした経験から、各人が自分なりの「肉声の言葉」を培っていった。リベラルアーツも「リベラル」という言葉を冠するくらいだから、制限や拘束から解き放つという意味が込められているのでしょう。

森本　まったくそのとおりです。

五木　すると、リベラルアーツとはたんに知識を得ることではなくて、自由を獲得するために「戦う技術」と言えそうです。

森本　ああ、「戦う技術」というのはとてもいい表現ですね。人間誰しも偏見や先入観をもって生きています。世にあふれているさまざまな情報に惑わされることもしばしばでしょう。でもいろいろ学んだり、経験したりすると、いままで正しいと思い込んでいたことが違っていた、ということが少しずつわかってきます。そうして自分の行動を縛っていた枷《かせ》のようなものから解放されて、自由になるなかで新たな自分を発見する、それがリベラルアーツの本意だろうと思います。「ああ、オレは何てバカだったんだ」という発見は、とても解放感のある嬉しい瞬間で、何度でも経験したいです。

五木　リベラルアーツを「教養」と言うと上品に聞こえますが、個人的には「戦う技術」のほうがしっくりくる気がしますね。

森本　五木さんの場合は、戦争という究極の抑圧的体験が大きかったのでしょう。

五木　当時は誰もが軍国少年として育てられる時代で、僕も例に漏《も》れずにその一人でした。十二歳の時点で「自分は何のために死ぬのか。大義のためなのか。そもそも国体とは何なのか」と本気で考えていました。

でも戦争に負けて、今度は「いままでの日本の行いはすべて間違いでした」と価値観を一八〇度覆《くつがえ》されたわけです。そう言われても、簡単に受け入れられるはずがありません。もう立ち直れない、何もかもやってられない、笑っちゃうしかない、という感じでした。

森本　むしろそういう有事に際して、人間の真理に触れることもありますよね。五木さんがこれまでの小説でお書きになっているように、大きな出来事こそが人間の弱さや醜《みにく》さを露《あらわ》にする。でも、そのまま潰《つぶ》れてしまう人もあれば、逆に時流に乗っていとも簡単に変わり身をする人もあります。五木さんはどちらでもなかった。

五木　はい、違いました。

森本　だから私は、教養というのは「受け止める力」だと思うのです。自分から出かけていって何でも欲しいものをつかみ取ってくる、という力ではなくて、向こうからやってくるものをどんと受け止めて、それを自分の糧《かて》にしてゆく力。ぶれない体幹があって、かつ新しいものに開かれている態度。それはある程度の自信がないとできないことだろうと思います。

五木　僕にそういう自信があったかどうかはわかりませんが、それで言うと、「戦う技術」と言っても、出ていって相手をやっつけるのでなく、「受けて立つ」ほうの戦い方でしょうね。

宗教の解説書だけではわからない「修行僧の生の姿」

森本　近ごろは、教養としての宗教書もよく売れているそうです。『聖書』や『歎異抄《たんにしょう》』などの解説書も多い。宗教を学んで教養を得たい、という風潮をどうご覧になりますか。

五木　そもそも、宗教を「学ぶ」ということ自体が変な話に思えますね。宗教は「信じる」とか「帰依《きえ》する」とかするものであって、勉強してどうなるものでもないでしょう。

森本　ええ、私もそう思います。宗教というのは自分で自分の人生の究極の意味を考えることですから、さっきのファスト教養と同じで、他人に決めてもらうことはできない。各人がそういう最終的な価値判断をするということが、人間の自由の意味だし、尊厳の根拠なのではないでしょうか。こういう価値の多元化した社会で、それでも自分がいちばん大切だと思うことを自分で決める。それは「宗教を学んで教養を得る」というのとはちょっと次元が違う話だろうと思います。
ただ五木さんのお書きになった『私の親鸞』（新潮選書）などは、いわゆる〝まとめもの〟の教科書的な親鸞とは違います。手っ取り早く教養を身につけるためではなく、「教養を深める入り口」と言いますか、読者は自分で親鸞をより深く読んでみたいという気持ちになりますよね。

五木　うーん……僕はたとえば親鸞の時代はどんな服装をしていたか、どんなものを食べていたか、といったことに関心があります。『歎異抄』にしても、弟子の唯円《ゆいえん》が「親鸞の教えを正しく伝えたい」と願って書き残した本でありながら、唯円のスケッチからは長い京都時代の生活の影があまり見えてきません。そのことを論じた人もほとんどいないと思います。でも僕は、僧侶の衣に隠れて見えない生身の人間としての親鸞の姿に目を向けたいのです。

森本　そのお気持ちが三部作の『親鸞』（講談社）にも投影されているのですね。

五木　はい。たとえば親鸞は三十五歳のとき、法然《ほうねん》に連座して越後・直江津《なおえつ》のほうに流されました。「もっぱら念仏の一行だけを修めよ。そうすれば浄土往生《おうじょう》がかなう」とする教えが、国から禁止されたためです。親鸞はそこで名乗りを変えました。朝廷に「これからは愚禿《ぐとく》親鸞と称しますので、よろしく」と書いた挨拶状を送っています。

「禿」は「ハゲ」ではなく「かぶろ（おかっぱ頭）」のこと。当時の京都では、男は少年期に達するまではその〝禿頭《かぶろあたま》〟でした。髷《まげ》を結うと、一人前の市民になる。それはお武家さんだけではなく農民も商人も同じです。

ところが大人になっても、髷を結うことを許されない人たちがいました。「非人」と称された人たちです。彼らは、四十になっても、五十になっても、髷を結うことが許されませんでした。つまり当時の人にとって髷が結えないというのは、最大の差別だったのです。

親鸞は流人となったわが身を禿と重ねたのでしょう。「今日から私は非僧非俗――僧にあらず、俗にあらず」と宣言し、「非僧非俗の非人」であることを言外に宣言しました。自分は中間層よりももっと下の第三階級であると。それが「禿」の意味するところ。親鸞はこの呼称を通して、「私はこれから先、人間扱いされない人びととともに生きていく」と決意表明した、というふうに僕は見ています。小説家の妄想ですが。

森本　妄想……ですか。でもそのころですね、親鸞が妻帯したり、肉を食べたりしたのは。仏教では欲望のままに行動することが固く禁じられていたのに、わざとその禁忌《きんき》を破ることで、自己を形成していったのでしょうか。

五木　ただ「肉食妻帯」というのは、それほどショッキングな出来事だったのかと、疑問に思うところもあります。

森本　これは日本仏教の特色ですが、いまはどこの宗派のお坊さんもふつうに妻帯しています。でもなぜか、お寺の奥さんは「お大黒《だいこく》さん」とか「梵妻《ぼんさい》さん」などと隠語で呼ばれることが多いようです。何となく隠された存在のようだと、不快感を示す方もおられます。お坊さんは表向き、独身主義だとされているからでしょう。いっそ独身主義をやめたらどうかと。

五木　そこはね、世の中はそういうものだというふうに割り切るか、非合理的だと訴えるか、考え方が分かれるところでしょうね。

森本　そう言えば宗教改革で有名なルターは、もともとは修行僧で、独身主義でした。けれどもそんな縛りから自由になりたかったのか、独身主義を返上し、修道女だった女性と結婚して、家庭をもちました。『ルターのテーブルトーク』（三交社）という本には、家庭生活の話題がたくさん書かれています。「妻は文句ばかり言っている」などと奥さんへの不満を洩らしていたり、子煩悩ぶりが垣間見《かいまみ》えたり、ルターの人間らしい一面が見えて、とても面白いですよ。

宗教は説教から始まる

五木　森本さんのご本にはよく、初期アメリカの宣教師が人を集めて、名スピーチを行ったというくだりが出てきます。日本の仏教が説教から始まったのと似ているかもしれません。
　仏教は原初、大衆的な「エンターテインメント」として伝わっていきました。平安時代初期から始まる説教の名手と呼ばれる人びとは、よく声が通り、呼吸を整えて、身振り手振りで聴衆を魅了していた。比叡山《ひえいざん》にも「説教の名手」と呼ばれる人がいたといいます。何しろ説教をするときの服装や、壇上での立ち居振る舞い、歩き方、話し方、目配りまで、かなり細かく書かれた古い御本があったくらいです。
森本　マニュアルのようなものですね。
五木　修行僧はみんな、一生懸命に説教の勉強をしたのでしょう。名手、続出でした。たぶん親鸞も、九歳で得度《とくど》した後、比叡山に登り、二十年くらい修行していましたから、ずいぶん、勉強したと思います。
　以前、紀伊・田辺のあるお寺で体験したのですが、説教師の話が最高潮に達すると、聴いている側も一斉に「南無阿弥陀《なむあみだ》、南無阿弥陀」と……。

森本　唱えるんですね。

五木　これね、「受け念仏」と言います。受けて、返す。説教師が熱弁をふるうなか、お客さんのあいだで潮のように受け念仏が湧き上がる。それを受けて今度は、説教師の表情がいっそう生き生きとして、声もいちだんと高くなっていく。やがて両者が一体となって、場が熱狂的に沸《わ》き上がる。そんなふうでした。

森本　わあ、キリスト教と同じですね。

五木　ゴスペルソングのようですか。

森本　アメリカ南部の教会とかに行きますと、いまも牧師の説教に会衆席から「アーメン」という応答がひっきりなしに響きます。歌も歌います。それで全体が大いに盛り上がる。あの高揚感と一体感は強いですね。牧師が「いつやるの」と訊《き》くと、みなが一斉に「いまでしょ」と叫ぶみたいに。

あと、先ほど仏教の説教にマニュアルがあるとお聞きしましたが、じつは欧米の神学校でもスピーチを猛練習させられます。単に上手に話すだけではなく、それこそ目線をどこに置くとか、どこで一呼吸置いて強調するとか、細かなテクニックを教え込まれるんです。だからみんな、なかなかのスピーチ上手になります。日本にはまったくありませんけど。

五木　日本の仏教でも戦後、専門の説教師はほとんどいなくなってしまいましたね。

森本　なぜでしょうか。

五木　それまでは説教師の話を聞くことが、民衆にとってはある種の娯楽でした。能登の農村などでは、刈り入れ時と収穫期の二度、説教師が来るのを、農民たちが首を長くして待っていたそうです。

　ところが戦後、仏教近代化のなかで通俗的なものが一斉に批判されるようになりました。その標的とされたものに、たとえば短歌の七五調があります。小野十三郎《とおざぶろう》という詩人が「奴隷の韻律」と題した文章のなかで、「あの三十一字音量感の底をながれている濡れた湿っぽいでれでれした詠嘆調」と批判しています。

　そういう時代の流れもあって、東本願寺をはじめとする各地の本願寺で、説教師を廃止する動きが起こりました。それまで説教師というのは、ちゃんと試験を受けて付与される正式な役職だったんです。流派もありまして、そのオーソリティたちが全国に道場を構え、多くのお弟子さんたちを抱えて活動していました。それが非民主主義的だ、説教の内容も封建的だというわけです。いまでも有名な説教師の方がわずかながら残ってはいるのですが。

森本　残念ですね。昔ながらの仏教の説教を一度は聴いてみたいものです。

　じつは初期のアメリカでも、聖書の教えを伝えようと、いろんなところを巡回する牧師がいました。彼らの多くはたぶん、文字も読めない無学な人たちだったと思います。でも読めなくてもいい。耳で聞いて頭のなかに入ってきた聖書の話を、わかりやすく面白く脚色し、スピーチの技術を磨いて上手に話をすることができるのですから、聞く人の心を動かしますよね。だからみんな、「またあの話が聞ける」って、牧師さんが巡回してくるのを心待ちにしていたそうです。キリスト教の巡回説教者は、どこでも同じ「持ちネタ」を披露しますから、しゃべりがどんどん上手くなっていくんですよ。これはあのベンジャミン・フランクリンの日記にも出てきます。

　でもやっぱり、だんだん彼らは抑圧されていきました。エスタブリッシュメント側の教会が彼らの説教を「教会の正式の説教ではない。本物ではない」と断じたのです。もちろん巡回牧師のほうも反発しました。「自分たちにはあなたがたのように学はないけれど、本物の信仰がある」と胸を張り、説教を続けて、やがてアメリカ全土を巻き込む大きな宗教復興のうねりにつながってゆくのです。

五木　なるほど。組織力よりも、人を動かす力のほうが大事だと思いますね。

エンタメのルーツは宗教？

五木　仏教の説教とは、いわゆるお説法のことではありません。一つの完成された芸であり、信仰を説くメッセージです。講談や落語のルーツも仏教の説教だと言われています。「高座《こうざ》」という言葉一つとっても、それがわかります。落語家が落語を演じるとき、「高座に上がる」と言いますね。その高座というのはもともと仏教用語で、僧侶が説教をするための台のことでした。お寺を継いだ人が初めて説教することを「高座開き」と言いますしね。

森本　そうでした。私たちが講演するときに立つところは「演壇」と呼ばれ、こちらは仏教とは別系統ですね。

五木　高座は一段高いところにあって、低い机が置かれていますが、演者の座っている姿がほぼ丸見えです。一方、演壇はかなり高い机が置かれ、立ってしゃべる演者の上半身しか見えません。場所によっては、かなり背の高い立派な演壇が設けられていて、前のほうの席の人には演者の頭のてっぺんしか見えないような場合もあります。演者が見えるか見えないかの違いは大きい。

というのも以前、講演の歴史について書かれたアメリカの本で読んだのですが、「身体の露出度と観客の共鳴度」は一致するらしい。演者の姿が観客からよく見えたほうが、講演会は盛り上がる、というのです。

森本　たしかにスティーブ・ジョブズとか、最近は演壇を使わずに、観客の目の前に全身をさらしてスピーチをする人がいますね。それが伝えるテクニックの一つにもなっているところがあると感じます。

五木　たぶん現代に伝わる講演は、仏教でもキリスト教でも、原型は説教のマニュアルの一節にあったのでしょう。

もっとも説教を聞く庶民にとっていちばんの魅力は、話の立て方が面白かったことです。説教師の話術は非常に巧みで、まずは面白い話から始めて、次は真面目な話、最後に感動する話と構成がしっかりと組み立てられている。「こうすれば人の心を動かせる」という一種のマニュアルがあったのでしょう。

説教師は大衆を魅了するポピュリスト的存在だったと言えるかもしれません。そこから名人上手と言われる人が出てきたのです。

思えば平安時代の初期に始まった説教が、代々受け継がれるなかで、研鑽《けんさん》を重ねて洗練されながら明治のころまで続いたのは素晴らしいことです。その説教から派生して「説教劇」や「説教節」が生まれたこともね。

森本　「説教節」というのは？

五木　楽器を伴奏に行われる語り物でね、比叡山をはじめとするお寺の修行僧たちは、たとえば「和讃《わさん》」という仏法や仏の徳を讃《たた》える七五調の歌なんかも厳しく教え込まれていました。それも和語だけではなく、漢音や「梵唄《ぼんばい》」と呼ばれる梵語（サンスクリット語）の歌詞まで覚えなくてはいけなかった。大変な努力が必要だったでしょう。その流れで笙《しょう》や篳篥《ひちりき》、鉦《かね》、木魚などの演奏技術も訓練されました。

森本　説教劇・説教節も相当人気があったのですか？

五木　大正から昭和にかけてのころ、こんな逸話があります。清水次郎長伝で人気の浪曲家、広沢虎造《ひろさわとらぞう》が、自分の出演する浅草六区の劇場の前を通りかかったときのことです。向かいの劇場を大勢のお客さんたちが取り囲んでいました。何事かと調べさせたところ、彼らは説教節の観客だとわかりました。それに虎造は一言、「うーむ、説教ならしょうがねぇ」――。当代の人気者をして「太刀打ちできない」と言わせる。そのくらいの人気があったということです。

もっと時代が下がって、唐十郎《からじゅうろう》さんが状況劇場で上演した演目のなかにも、説教節をもとにした作品がたくさんあります。

森本　そうですか、知らなかった。説教に発するそうした流れがまた、講談や落語などの大衆文化の発生につながっていくんですね。

五木　説教は単なる教理ではなく、宗教的なスピリッツを内に秘めたエンターテインメントだったんですね。

いろいろな伝え方がありますが、仏教もキリスト教も説教の肉声を聴いて、体感として教理を受け止める営《いとな》みである点では同じでしょう。やはり教養のために学ぶというのは違和感がありますね。

森本　もし宗教が教養につながるとすれば、そういう場に自分を置くことで身体に思想を感じ取らせることでしょうか。頭だけの知識で「身につけた」とは言いませんから。

博学なだけでは教養人とは言えない

五木　そもそも、いまの人たちは「教養が欲しい」と本気で思っているのでしょうか。「ファスト教養」という言葉が流行するくらいだから、「教養があるように見られたい」という意識はありそうですが。

森本　けっして「教養なんかいらないよ」というふうには言いません。楽して効率よく教養を手に入れたいのでしょうね。裏を返せば、本と首っ引きになって、苦労してまで学ぶ気はないのだと思います。

五木さんからご覧になって、教養がある人とはどんな人でしょうか。

五木　少なくとも、ただ博学なだけでは不十分でしょうね。以前、日本を代表するフランス文学者とご一緒に会食したことがありましたが、常識のない僕から見ても、ものすごく不作法な食べ方でびっくりしたことがあった（笑）。

森本　日常の振る舞いや身の振り方も、教養に含まれるわけですね。

五木　逆に若い女性編集者と食事をしていたとき、彼女は魚の骨を標本のようにきれいに残して食べていました。どうやらお母様の躾《しつけ》が厳しかったみたいです。僕なんてお皿の上が荒れ地みたいになっているのに（笑）。

森本　なるほど。日常の作法もやっぱり身につけるものですね。自然とそう振る舞えるくらい、本人の第二の天性になっている、ということでしょう。いまの人たちは、「周りから一《いち》目置《もく》かれたい」「恥をかきたくない」「異性にモテたい」くらいにしか考えていないかもしれませんが。

五木　知識があるだけでは、教養があるとは言えないんじゃないですか。そもそも僕は、「教養」や「品格」という言葉自体があまり好きではないのですけどね（笑）。どこか階級的な印象があってちょっと嫌なんです。

森本　でも、たとえば階級社会のイギリスでは、上流階級はそれこそ品格を重んじますが、労働者階級も彼らなりの矜持《きょうじ》をもっていますよね。

五木　ミステリーを読んでいても、シェークスピアの言葉がさらりと出てきたりしますよね。イギリスの場合は階級にかかわらず、植民地支配を長年続けてきた大英帝国としてのプライドが残っているのではないでしょうか。

森本　では、五木さんがこれまでお会いになった方のなかで、「この人は立派だ」と思ったのはどんな方でしょうか。

五木　それは難しい質問ですね。「われ以外皆わが師」という感じで生きてきましたから。それに一言で「この人は立派だ」と評するのは難しい。日常つき合っているだけでは、愛想がいい人だな、人に気を遣ってくれる人だな、といったくらいのことしか思わないですし。

もしもその人の人生の決定的瞬間に立ち会えることがあれば、どのような人格かがわかるかもしれませんね。

森本　私は、アメリカに住んでいたとき、あるとても控えめな韓国人夫婦を立派だと思いました。子どもを含め家族ぐるみで交流していたのですが、聞けばハロウィンは祝わないという。どうしてかと尋ねたら、「私たちはクリスチャンだから」と答えるのです。

たしかにハロウィンはもともとキリスト教とは無関係のお祭りで、「死」だの「お化け」だのと、そのメッセージもキリスト教と合いません。いまは子どもたちが楽しむお祭りとして世俗的に普及していますが、その夫婦は自分たちの信仰に対する矜持があったのでしょう。異国の地で自らの信仰を貫く彼らの姿は、とても清々《すがすが》しかったです。ハロウィンに興じるアメリカ人よりもずっとまともなクリスチャンだと思いました。

五木　僕は、昔、二十五年以上前になりますが、『正統的異端』（深夜叢書社）という対話集を出したことがありました。その知見からも、アメリカ社会に生きながら真のクリスチャンであろうとしたその韓国人夫婦は、まさに「正統的異端」と言えるかもしれません。

森本　昨今の世の中では、我こそはと胸を張る異端が少なくなりましたね。その代わりに、「どうせ自分なんて」という「すねた異端」が増えているように思えてならない。科学技術が急速に発展し、正解が何かわからない不規則な時代にこそ、知性と結びついた権力に対抗する「反知性主義」のような気概が必要だと思います。

ＡＩは倫理的判断を下せるか

森本　そんなきわめて難しい時代に「人間らしく生きること」について考えると、どうしてもＡＩの存在が頭をよぎります。いまやＡＩが小説まで書く時代ですが、昨今の急速な浸透について、五木さんは作家としてどうご覧になりますか。

五木　望ましくは思っていませんけど、現に普及しているものは受け入れるしかないでしょう。ＡＩを使えば、著者の特徴を捉えたそれなりのクオリティの本が量産できますから。ＡＩのつくった俳句を見せてもらいましたが、なかなかの出来でしたよ。僕はＡＩを協力者だとは思っていません。対立して戦う相手だと感じています。強敵ですよね。油断すると、負けるかもしれない。

森本　そんな状況がさらに加速すると、本を読むことの価値も変わってしまいそうです。

五木　でも読者のほうは案外、書き手の個性さえ発揮されていれば、同じような内容・展開の本を読みたいのかもしれませんね。あくまでもその人らしい作品を堪能《たんのう》したいのであって、想像と違ったものは読みたがらないんじゃないかな。

その意味では、書き手の特徴をパターンで捉えて作品を生み出すＡＩは、現在の世の中に求められているのかもしれませんね。「ＡＩ、なおもて往生す」となるかも（笑）。

森本　人間とＡＩの違いについて言えば、人を「信頼する」あるいは「裏切る」という倫理的な判断はＡＩにはできない、というのが私の見立てです。アイザック・アシモフのＳＦ小説に、ロボットが従うべき原則が示された「ロボット工学三原則」が出てきます。

五木　第一条「ロボットは人間に危害を加えてはならない」、第二条「ロボットは人間に与えられた命令に服従しなければならない」、第三条「ロボットは第一条および第二条に反するおそれのない限り自己を守らなければならない」という三つの取り決めですね。

森本　私はこの原則には意味がないと考えているんです。なぜならば、「しなければならない」という倫理的な命令は、「そうしないかもしれない」という前提がないと成り立たないからです。

人間は約束を忠実に守るのか裏切るのかわからないからこそ、命令に従うことの意義があります。しかしＡＩはアルゴリズムに則《のっと》ってパターンで自動実行するだけですから、誤作動はあるかもしれませんが、行動に迷いや葛藤《かっとう》はない。だから、あたかもロボットが主体的に判断できるかのように前提した三原則には意味がありません。ＡＩ学者はそれも「判断」と呼ぶでしょうが、倫理的な命令に従うことは人間しかできないと思うのです。

五木　なるほど。その発想は考えつきませんでした。

森本　太宰治《だざいおさむ》の『走れメロス』では、処刑まで三日間の猶予《ゆうよ》をもらったメロスに対して、暴君の王は処刑されるために三日後までに戻ってこいと命じます。王のこの命令は、メロスに戻ってくることも逃げてしまうこともできる、という選択肢があるからこそ成立します。約束を守るか裏切るか、そこに逡巡《しゅんじゅん》があるからこそ、「人を信頼する」というこの物語のメッセージが生まれるわけです。

五木　自動運転も普及し始めていますが、これもまさに、倫理的な判断をできないＡＩに人間が身を委ねるということですね。そうやって人間の行動をＡＩに任せていくと、最終的にはどこに行き着くのか。もちろん利便性は増すでしょうが、人類の幸せへとつながるか、大きな敵になるか、興味津々です。

森本　トロッコ問題ってありますね。「トロッコ（路面電車）が制御不能になり、そのまま走らせると、前方で作業中の五人が轢《ひ》き殺される。分岐器のすぐそばにいるAが進路を切り替えれば、その五人は確実に助かるが、別の路線で作業をしている一人を助けることができない。Aはトロッコを別路線に引き込むべきか」を問うものです。

AIなら、たとえば「助かる確率の高いほうを選びなさい」といった指示のもとで、どちらかを選ぶだけ。倫理的な判断はできません。けれども人間なら、誰しも迷います。倫理的にどう判断するべきかを懸命に考えます。

結果、どう判断するかは別にして、そういうときに駆使される倫理的に判断する力というのは、人間に備わっている教養、リベラルアーツに関係するのではないかと思うのです。

またAIに頼ろうとする態度は、ある意味では人間万能主義への懐疑とも捉えられます。十八世紀にヨーロッパで興《おこ》った啓蒙主義では、金も人間関係も、この世界はすべて人間がコントロールできるという傲《おご》りがありました。

しかしその後、大規模戦争や自然災害やパンデミックなど、世の中には自分たちの手に余ることがあると知ったことで、現代はポスト啓蒙主義の時代になっているように思います。

五木　なるほど。するとむしろ、宗教の役割は今後ますます高まっていくのかもしれませんね。

インスタントな教養などない

森本　先ほどの「戦う技術」の話ですが、私は権力や時代に向き合う際に必要なものこそ教養だと考えています。時代に流されず、かと言って「反時代的」というだけの定型にもはめられない、自分の判断の軸をもつことです。古典を読むことの意義もそこにあります。いまの時代とは別の価値軸を知ることができるからです。

五木さんもよく、ロシア語やロシア文学のお話をなさいますね。

五木　ええ、たとえばドストエフスキーの『罪と罰』に出てくる「ラスコーリニコフ」ですが、あの名前はロシア正教会が十七世紀に強行した典礼の統一に反抗して異端とされた人びと「ラスコーリニキ」の響きがあります。ですからあの名前を見ただけで、彼がどのような人間に描かれているかが読者にはわかる。

森本　ええっ、ロシアの教会改革から来た名前だったんですか。

五木　はい。昔の話だけではありません。たとえばいまのウクライナ戦争を見ていると、いろいろなことを考えます。「ウクライナ」というのは十二世紀くらいからある古い国名ですが、ロシア語からすると「ウ」は「辺境の地」のような複雑な意味が込められている。

森本　日本で言うと、「裏日本」のような……。

五木　ニュアンスのある言葉で、すでに言語のなかにそういう価値づけが含まれているのです。だからロシアは、フィンランドがＮＡＴＯ（北大西洋条約機構）に加盟することにはそれほど関心はありません。すぐ隣にあるけれど、まったく別の国なんです。一方、ウクライナは自分たちの国だと思っているから、猛烈に反発する。そんなところもあるのではないでしょうか。

森本　それは知りませんでした。私が学生によく勧めるのは、外国語を学ぶなら身近な現代語でなく、なるべく遠い言語を学べ、ということです。アラビア語とかヘブライ語とかサンスクリット語とか。ロシア語もそうでしょう。

言語は世界を切り取る手段ですから、まったく新しい世界の見方を知ることになります。そうすると、自分がいかに狭い世界に住んでいたかがわかります。自分を相対化することで初めて、自らの足場が見えてくることもあるでしょう。

五木　同感ですね。それから僕はやはり、学校の教室や図書館とは別の場でも教養を培えないだろうかと考えますね。旅をして現地の人の肉声を聴いたり、対話を重ねたりすることがとても大切だと思うのです。

森本　五木さんが「面授」を実践し続けてこられた結果ですね。

五木　僕が生の体験や自分で見聞きしたことを強調するのは、いまの日本では本当に重要な問題が論じられていないと感じるからです。政治の政策云々《うんぬん》ではなくて、その下のもっと深い層にある根っこのような部分。この国の深層を知るには、知らない世界に飛び込んでいく覚悟が必要ではないでしょうか。

森本　そういう世界に飛び込んで流されないためにも、やはり自分自身の軸となる感性や判断力を高めておかねばなりませんね。教養に近道はない。地道に筋トレを続けて、体幹を鍛えていくしかなさそうです。

第四章

「国語と教養」を軽視する愚かさ

藤原正彦×森本あんり

写真:大島拓也

藤原正彦
(ふじわら　まさひこ)

1943年、旧満洲・新京生まれ。お茶の水女子大学名誉教授。東京大学理学部数学科卒業、理学博士。米国で3年間教えたのち、78年、数学者の視点から眺めた清新な留学記『若き数学者のアメリカ』で日本エッセイスト・クラブ賞を受賞、ユーモアと知性に根差した独自の随筆スタイルを確立する。父・新田次郎、母・藤原ていの次男。著書に『国家の品格』(新潮新書)、『名著講義』(文春文庫)、『スマホより読書』(PHP文庫)など多数。

教養は「身につけるもの」ではない

森本　藤原先生とこうしてお話しする機会をいただくのは初めてのことで、光栄であると同時に畏《おそ》れ多い気持ちです。ご著書『国家と教養』（新潮新書）や『本屋を守れ』（PHP新書）などを拝読し、「そのとおり、そのとおり」と終始唸《うな》っておりました。

藤原　ありがとうございます。私も数年前、執筆中に森本先生の『反知性主義』（新潮選書）からピューリタンを勉強させていただきました。

東京女子大学には六十五年ほど前に一度、来たことがあるんですよ。小学校六年生の夏でしたか、こちらの講堂で「東京都合唱コンクール」が開催され、「かっこうワルツ」を歌いました。

森本　ええっ、先生が小学生のころですか。ご縁を感じますね。

藤原　森本先生はプリンストン神学大学にもいらっしゃいましたね。じつは女房がプリンストンの病院で生まれまして、それがアインシュタインの亡くなった翌日でね、自分は彼のリインカーネーション（生まれ変わり）だと信じてます。

森本　それはそれは……一九五〇年代から六〇年代初め、プリンストン大学と関係の深いプリンストン高等研究所には、アインシュタインをはじめクルト・ゲーデル、ジョン・フォン・ノイマン、ロバート・オッペンハイマーら、史上二度と集まることはないようなメンバーがそろっていましたね。

藤原　数学と物理で、きら星のような人たちがいて、まさに黄金時代でした。私たちの仲人をしてくださった小平邦彦先生も同じ時代に数学の教授をされていて、ピアノ好きの彼は学者仲間とカルテットを組んでいたそうです。そこにアインシュタインもバイオリンで参加していたと聞きました。「アインシュタインのバイオリンはどうでした？」と尋ねたら、「relatively good」だって。

森本　相対性理論だけに（笑）。

そろそろ本題に入りましょうか。今日は、「リベラルアーツ」をテーマにお話しできればと思います。

藤原先生は長きにわたりお茶の水女子大学で教鞭《きょうべん》をとられ、私は二〇二二年三月までＩＣＵ（国際基督教大学）で教え、同年四月からは東京女子大学で学長を務めています。いずれの大学もリベラルアーツ教育を実践している点で共通していますね。

藤原　そもそも、リベラルアーツという言葉は定義が曖昧《あいまい》ですね。一般的には「人文科学・社会科学・自然科学の横断的な教育」という意味で使われます。しかしその捉え方は国や時代、さらには大学などによってさまざまです。

森本　リベラルアーツがなかなか理解されないのは、「WHAT（何か）」ではなく「HOW（どのように）」だからでしょう。リベラルアーツは、哲学や数学、文学といった学問分野の集合名詞ではありません。求められているのは、教師の側がどのように教え、学生がどのような姿勢で学ぶかです。どんな分野でも、リベラルアーツ的に教えることもできるし、まったく違う精神で教えることもできる。

だから、知識を貯《た》めて博学になることが目的ではありません。むしろ、得られた知識でその人自身が変わり、ものの見方や考え方が変わるところにこそ、リベラルアーツの本義がある。

よく雑誌のインタビューなどで「手っ取り早く教養を身につけるにはどうすればよいですか」といった質問をされますが、そんな方法はありません、と答えます。ダイエットと同じで、とにかく時間がかかるのです。

また「教養を身につける」としばしば言われますが、この言葉もあまり使いたくありません。教養とはアクセサリーのようにつけたり外したりできるものではないでしょう。けっして容易に備わるものではないからこそ貴重だし、健康な身体をつくるのと同じように時間と訓練が必要だろうと思います。

藤原　イギリスの中・上流階級の多くの子弟は十二歳ごろからパブリックスクールでエリート教育を受け、〝教養人〟の素地を備えたうえでオックスブリッジ（オックスフォード大学とケンブリッジ大学の併称）などに進学します。彼らがやがて親になると、我が子にも自分と同じ道を歩ませる。そうして、紳士階級が継承されていくわけです。

他方で、いくらお金はあっても教養のない「成り上がり」は、紳士階級には入れません。産業革命を境にたくさんのお金持ちが出てきて、彼らはジェントルマンになりたかったけれど、いくらお金があっても教養がないためになれなかった。

そこで自分の世代は諦め、子どもをパブリックスクールに入れ、教養をつけさせます。全寮制の中高一環教育のもとで、文学や数学、歴史などを学び、〝教養人〟に育てられるのです。こうして自分の次の世代から紳士階級の仲間入りをさせようとします。

森本　そうか。一世代かかるのですね。

藤原　イギリスではリベラルアーツがジェントルマンシップと深く結びついている、そこが日本と大きく違うところでしょう。森本先生がおっしゃるように、リベラルアーツは多くの知識があることではないと私も思います。

教養教育が軽視される日本の大学

森本　英米と日本の教育では、リベラルアーツのＷＨＯ、つまり誰が教えるかも違っています。日本では博士号を取りたての若手が一般教養科目を担当し、ベテランの教授が専門科目を教える風潮がありますよね。英米ではまったく逆です。優れた経験と経歴をもつその道の大家や看板教授こそが一般教養科目を教え、経験の浅い若手は専門科目を担当します。

リベラルアーツは、単なる雑学の寄せ集めではありません。その道を極めた学者だからこそ伝えうる高度な知の広がりを、学問の入り口に立つ若者に提供するべきでしょう。もしもアインシュタインが各学部から集まった学生に「物理学とは何か」について講義をしたら、学生にはものすごく刺激的で啓発的な体験になるはずです。

藤原　私がアメリカのコロラド大学で講義を受け持っていたころも、大学一、二年生の一般教養科目の講義は老練な教授たちが担《にな》っていました。当時はまだ新米のPh.D.だった私は、大学院生を相手に専門の数学を教えていたものです。

森本　そうなんです。自分の専門を教えるだけなら、駆け出しの学者にもできるのです。ところが日本の大学では、逆の状況が生まれていますね。

藤原　おっしゃるとおりで、専門学部の教師が教養部の教師を下に見ている節《ふし》すらある。だから、教養部の教師はコンプレックスを抱き、専門学部に移ろうとする。この構造自体が愚《おろ》かしいのであって、日本における教養教育を阻《はば》んでいる元凶でしょう。

森本　いまの大学システムは、基本的には入学する段階で専門（学部）を決めなくてはなりません。これは大学自身が高等教育の意義を否定しているようなものだ、と私は思います。「大学生の数年間に大きな知的変化は起こらない」という前提に立っているわけですから。何と言っても、高校生の知識で大学の学びを選ぶのは無理があります。「医者になろうと思って医学部に入ってみたけれど、法律を学んで弁護士になりたくなった」「世界平和に寄与するために国際関係を学んでいたら、むしろ経済や宗教の重要性に気づいた」などということは、大学でさまざまな経験をすれば山ほど起こりえます。

　学生の興味・関心が移り変わる可能性を考慮するならば、入学後はまずは全員がさまざまな学問分野に触れるべきではないでしょうか。そこで他分野への視野を広げたうえで、専門の学部を選び直せばいいわけです。

藤原　同感です。欧州ではギリシア・ローマの時代より「自由七科」の伝統があります。文法、修辞学、弁証法の三学と、算術、幾何学、天文学、音楽の四科を学ぶことが自由人の条件だったのです。もっとも当時の「自由人」とは「奴隷として売り買いされない人」という意味であって、必ずしも学問や思想の自由と同義ではありません。

その後、中世に入ると欧米では自由七科に哲学を加えた教養教育が大学で浸透し、現在に至るまでほぼ同じ枠組みが保たれています。医学や法学などの専門に分かれるのは、しっかりと教養教育を受けた後のことです。

私もお茶の水女子大学にいたとき、教養科目を一、二年生だけではなく大学院まで、すべての学生に取らせればいいと提言しましたよ。

新渡戸稲造が唱えた道徳と礼節

森本　日本と欧米のあいだで、教養教育と専門教育に対する見方が逆転しているのはじつに不思議です。その理由について、藤原先生はどのようにお考えですか。

藤原　本当に不思議です。日本の教育は「教養大国」とも言われた十九世紀ドイツのシステムをお手本にしています。ヴィルヘルム・フォン・フンボルトが教養志向の大学スタイルを提唱して一八一〇年に創立したフリードリヒ・ヴィルヘルム大学（現フンボルト大学ベルリン。一九四五年以前は「ベルリン大学」の通り名で呼ばれた）をこそ手本にするべきでした。同大学の初代学長であるフィヒテなんて、「教養のない者は賤民である」とまで明言しています。

森本　フィヒテと言えば、ナポレオン戦争中の一八〇八年に「ドイツ国民に告ぐ」という一四回に及ぶ連続講演を行い、国民自身による国家統一の実現を訴えた人物ですね。

藤原　そう、名演説ですよ。「賤民」とは少々恐ろしい物言いですが、そのくらい教養が重んじられていたのです。ドイツだけではなくアメリカだって教養を大事にしていたのに、なぜ日本は専門教育のほうに傾いていったのか、本当に不思議です。

一つ、考えられるのは、明治維新以降、我が国では列強に必死に追いつこうと殖産興業が重視されたことです。その結果、短期的に成果が見える教育ばかりが重宝され、教養教育が次第に疎《おろそ》かになったのでしょう。

日本には元来、教養の中核をなす道徳の精神が存在しました。十九世紀に活躍したイギリスの詩人エドウィン・アーノルドは、一八八九年に来日すると日本人の礼節や道徳、風景、芸術の水準の高さを目《ま》の当たりにし、「地上で天国あるいは極楽にもっとも近い国だ」と称賛しています。

しかし信じ難いことですが、当時の日本の新聞はアーノルドの言葉に批判的でした。日本の旧来的な要素にしか目を向けておらず、明治になってからの工業発達の成果を見ていないというのが理由です。私なら卒倒《そっとう》してしまいそうな嬉しい言葉をアーノルドが残してくれたにもかかわらず、世論は冷ややかだったのです。

当時からすでに、欧米の風潮に流された日本では道徳や礼節、教養を軽視する傾向が萌芽《ほうが》していたのでしょう。

森本　なるほど。問題の根源は、明治維新以降の成長至上主義にあるというわけですね。

藤原　森本先生が学長を務める東京女子大学の初代学長は、私が尊敬する新渡戸稲造先生です。彼も著書『武士道（BUSHIDO: The Soul of Japan）』で日本人が培った道徳と礼節について説いています。この本を書いたきっかけは、ベルギーの大学を訪ねたときに、「私の国では教会で道徳を教えているが、あなたの国ではどう教育しているのか」と問われたことだそうです。新渡戸先生はその場で答えられなくて、家に帰ってから数日考えました。それでようやく武士道精神だと思い当たったのです。

本に書かれているように、武士道精神とはなにも武士だけのものではありません。子どものころに親から「嘘をついてはいけない。悪いことをしてはいけない。お天道様が見ているよ」と教えられた。結局はキリスト教の教会と同じような教育が、日本では昔から家庭で行われていた。そうして日本人のあいだに連綿と受け継がれてきた正義感や名誉、惻隠《そくいん》（憐《あわ》れみ・同情）、情緒などは、歌舞伎や浄瑠璃《じょうるり》、能や狂言を通じて、江戸時代には庶民にまで根づいていました。

森本　新渡戸先生のことをそんなによくご存じでいらして、嬉しく思います。

藤原　武士道精神を英語で世界に伝えた新渡戸先生の功績は紛《まぎ》れもありません。その半面、彼は一九〇六年に第一高等学校の校長に就任して以降、西洋的な教育を推進して日本人を武士道から遠ざける一因を自らつくってしまった。南部藩士の家に生まれた新渡戸先生にとっては、武士道精神は親から教わる当たり前の徳目であり、わざわざ学校で教える必要はないと考えてしまったのです。

明治生まれと言っても、生まれが明治二十年（一八八七年）以前か以後かで考え方がかなり異なります。幕末から明治初めにかけて生まれた夏目漱石や森鷗外《おうがい》、西田幾多郎《きたろう》などは武士道精神を重んじており、日本の国柄に敏感でした。

一方で明治二十年前後に生まれた和辻哲郎《わつじてつろう》や芥川龍之介、志賀直哉などは欧米の思想に傾倒しました。一高で新渡戸先生の謦咳《けいがい》に接した人びとが主となって大正デモクラシーを牽引しましたが、それまでの教養の中核たる武士道精神から離れてしまいました。

彼らが素晴らしい功績を残したことはたしかですが、日本が誇る武士道精神が等閑《とうかん》に付されていったのはいかにも残念なことです。

森本　新渡戸先生に関しては、台湾総督府の技師として、同地の殖産興業発展に寄与した功績も語られます。ただし研究者のあいだでは、その働きについて賛否両論があるようです。植民地主義に反対しておきながら、自らはその政策に加担しているのではないかという批判があります。

藤原　たしかに、新渡戸先生の弟子である矢内原忠雄《やないはらただお》先生（元東京大学総長）は、植民地主義に猛反対していましたからね。新渡戸先生に関してはさまざまな評価があるでしょうが、日本人の礎《いしずえ》をなす武士道精神を世界に広めた側面は、断固として評価すべきでしょう。

大学教育の目的は民主的な市民の形成

森本　藤原先生が強調される「品格」は、私の言葉では「礼節」にあたるかと思いますが、それはまさしくリベラルアーツ教育の目的に関わってきます。今日の大学の意義は、学者や専門家を育てることではありません。大学教育が一般化した時代に、そもそも学部教育だけで専門家になれるはずがない。

では大学教育の主な目的は何か。それは民主的な市民をつくることです。民主主義社会では多様な意見が存在するため、自分と異なる意見をすべて否定していたのでは共存できません。現在の情勢に重ねても、ジェンダーやワクチン接種、ウクライナ戦争について、さまざまな立場や意見があります。

拙著『不寛容論』（新潮選書）に書いたことですが、たとえ相手と見解が違っても礼節を保ち、冷静に話し合うためには、リベラルアーツ教育が不可欠です。詩人のロバート・フロストが、「教養」を「あらゆることに耳を傾けつつ、気分も害さず自信も失わずにいる能力」と定義しています。聞いて共感する力、自分の考えを批判的に検討する力、そして相手にわかるように自分を表現する力。それらがなければ、民主的社会なんて簡単に壊れてしまいます。世界で権威主義が横行するいまこそ、民主的な市民の育成を目指す教育が必要ではないでしょうか。

藤原　リベラルアーツを軽視していると、あっという間に新しい主張に押し流されてしまいます。現に日本人は、武士道精神から遠ざかったために〝根無し草〟になりました。大正デモクラシー運動を経て、ロシア革命によりマルクス主義が流入すると、すぐにマルクス主義に浮かれる。その後も二つの世界大戦では軍国主義に心酔し、さらに戦後はＧＨＱによる「日本がひとえに悪うございました。アメリカは何も悪くありません」というような考え方に染まり、いまはグローバリズムに踊らされています。

森本　リベラルアーツは民主主義の試金石ですよね。国家の統制が強すぎる国では、リベラルアーツの大学はやっていけません。実際、二〇一三年にシンガポール国立大学と米イェール大学の提携により「Yale-NUS（National University of Singapore）」というリベラルアーツの大学が開校しましたが、十年と経たずに閉校になります。アジアでも数少ない、シンガポールでは初のリベラルアーツ・カレッジとあって、私も大変素晴らしいことだと喜んだのですが。

思うに、自由がないと、政府を批判する力も育たない。リベラルアーツは精神の自由を形成していくのに不可欠のプロセスです。リベラルアーツを重視する国でないと、民主主義を見失って、ファシズムに呑《の》み込まれてしまうでしょう。

藤原　民主主義における教養という文脈では、十九世紀フランスの政治思想家アレクシ・ド・トクヴィルの話を思い出します。彼は十九世紀初頭にアメリカを旅して著《あらわ》した『アメリカのデモクラシー』のなかで、同国の先進的な民主主義を称賛しつつも、将来的には大衆による世論の腐敗が起こりうると述べている。

トクヴィルに言わせれば、当時のアメリカ市民にはまだ礼節や教養が根づいていなかった。近年のアメリカではポピュリズムの蔓延《まんえん》が指摘されていますが、その状況をトクヴィルは二百年も前から洞察していたわけです。

英語教育以前に国語力をつけよ

森本　教養やリベラルアーツと言うと、しばしば「グローバルに戦える人材を育てる必要がある」「だからこそ英語教育が大事だ」という議論が交わされますね。もちろん、大前提として英語を学ぶことは大切です。時代が進んだいまは、バイリンガルからマルチリンガル、さらにはプルリリンガル（複数言語主義。一人の人間が相手や場合によって複数の言語を使い分けて活用していくことを目指す）という考え方も出てきています。ゲーテが「一つの言語しか知らない人はどの言語も知らない」という言葉を残したように、多言語に触れることは異質な価値観に接することであり、他者への理解にもつながります。それが重要であることはよくわかります。

しかし私は、じつのところ幼少期からの英語教育には反対なんです。英語を勉強すること自体は否定しないけれども、それは二の次、三の次でいい。それよりも優先すべきは、日本語が母語なら、その母語で「考える力」を養うことです。小さいころから日本語の本を読み書きして思考を深める時間が何よりも重要だと思いますね。

だいたい日常会話程度のことなら、いまはスマホの通訳アプリで事足りるのですから、英語が話せなくても何の問題もない。もっと大事なのは、自分の考えをしっかり深めてそれを表現できることです。

藤原　おっしゃるとおり。初等教育で英語を教え始めたのが最悪の間違いです。幼少・児童期は、思考力とともに人間にとってもっとも大切な情緒を培ううえで重要な時期です。絵本や童話、小説や詩を読んで、心を揺さぶられたり、涙を流したりする。このように、英語などには脇目もふらずにひたすら情緒を吹き入れるべきです。この二度と得られない時期を外国語の教育などに費《つい》やしていては、教養など育つわけがありません。

以前に著した『祖国とは国語』（新潮文庫）の題名が私の一貫した持論です。昨今の話で言えば、ロシア軍に制圧されたウクライナの東部地域では、すでにロシア語教育が始まっていると聞きます。母語を奪うことは、ある意味では領土を奪うよりも残酷《ざんこく》な行為です。領土とは違い、子どもの頭に植えつけられた言葉は元には戻りません。

国語力は国防にも関わります。にもかかわらず、英語教育への偏重をはじめ、なぜ日本の学校教育は進んで欧米流に染まろうとし続けているのか。文部科学省というよりも財界が元凶です。グローバルな企業戦士を求める財界と経済産業省の思惑が一致し、結託して政府の教育方針に影響を及ぼそうとしているのでしょう。

森本　母語は「思考の言語」です。どんなに英語の会話が上手になっても、自分の頭のなかにないものをしゃべることは不可能です。母語の能力以上に外国語で話すことはできませんから。

そのいい例がノーベル賞を受賞するような偉い先生たちです。必ずしもペラペラと流暢《りゅうちょう》に話すわけではありませんよね。それでも聴衆は、訥々《とつとつ》としゃべる先生の話に一生懸命耳を傾けます。話の中身を理解したいからです。なにもイギリス人のように、あるいはアメリカ人のようにしゃべるのが理想というわけではありません。インド人の英語も中国人の英語もあります。日本人の英語もあるでしょう。

藤原　たしかに英語は下手でいい。小平先生だって、ハーバード大学とプリンストン大学で十八年くらい教えてらしたのに、英語はほとんどダメでした。学生たちは先生の講義を「聴きに行く」ではなく「見に行く」と言っていたそうです。ほとんどしゃべらずに、黒板にバーッと数式を書くというので。

私自身はわりと英語がよくしゃべれたんです。アメリカでガールフレンドに鍛えられたおかげで。でもシンポジウムで小平先生が英語で単語をポッポッポと話し、聴衆が一言も聞き漏らすまいと身を乗り出しているのを見て、こうでなくちゃいけない、私のようにペラペラやってちゃダメなんだと、はっきりわかりました。

森本　いえいえ、ペラペラできれば、ガールフレンドと話すには絶対有利でしょうね。私の経験から言えるのは、グローバルな交渉の場に立ったとき、英語が上手ければ首尾よく進むかと言うと、けっしてそんなことはないということです。結局のところ、見られているのは人間として信頼できるかどうかです。交渉相手が契約書の裏をかいてごまかしたり嘘をついたりするような人間かどうか。

英語が話せるに越したことはありませんが、そのうえで大事なのは、その人が人間として信頼できるかどうかです。

藤原　生前の岡崎久彦さん（元駐タイ大使）に「外交官として最終的に大事なものは何ですか」と尋ねたら、言下に「教養と人間性」と答えていましたよ。

森本　まさにリベラルアーツですね。

藤原　ロンドンに赴任していた商社マンによると、取引相手から自宅に招かれて、日本のことをいろいろ聞かれるそうです。「縄文式土器と弥生式土器はどう違うのか」とか、「元寇《げんこう》の役《えき》は二度あったが、一二七四年と八一年では何が違うのか」といったことを。答えられないともう二度と招かれないと言うから、ビジネスも英語力より教養力が大事と言えそうです。

あと私がケンブリッジ大学で教えていたときも、同僚や学生の文系・理系を問わない教養の厚みに驚いたことが多々あります。フィールズ賞を受賞したジョン・G・トンプソン教授は、初対面で開口一番、「三島由紀夫の切腹と夏目漱石の『こころ』に出てくる先生の自殺の関係は」と私に尋ねてきました（笑）。

森本　なんと（笑）。しかも、これが数学者同士の会話というからいっそう驚きます。教養の話をすることの裏返しで、とくにイギリスには雑談で「専門の話をするのはみっともない」という認識があります。「トークショップ」と言って嫌われるんです。学者のあいだでも「専門は何ですか？」なんて質問は無粋の極みです。だからたとえば英文学の大家でも、「幽霊とか、暇人の色恋沙汰とか、そんなもんです」と答えてごまかす。

英語を学ぶ以前に国語や日本の文化、歴史についての見識も深めていないと「グローバル人材」とはとうてい言えませんね。

デジタル本にはない、印刷物の価値

藤原　もう一つ、政府の教育政策の大きな過《あやま》ちを指摘すると、デジタル教育を推進している点です。これも世界の潮流を後追いする財界の思惑が背後にあるはずです。ＰＩＳＡ（学習到達度調査）などを通し、デジタル教育を推進するＯＥＣＤは日本語で「経済協力開発機構」。つまり、発祥からして経済に奉仕するための機関であり、財界と親しいのは当然です。

教科書をタブレット端末などに頼っていては、教養にとってもっとも大切な「本への親しみ」が、子どもたちからますます失われてしまう。読書量が減れば、読解力や思考力は確実に衰退します。私は印刷物の匂いフェチで、小学生のころは新学期に新しい教科書をもらうと、必ずクンクン嗅いでいたものですよ。音読の最中まで匂いに熱中するあまり、陸軍上がりの教師に「何やってんだ、バカヤロー」と叱られました（笑）。

森本　それはすごい（笑）。

藤原　匂いや手触りがあるからこそ記憶に残り、昔の思い出がまざまざと甦《よみがえ》ってくる。タブレット端末の教育ではありえないことです。

デジタル本で何を読んだのかは、コンピュータのなかに一覧として残るけれども、人間の記憶に残りづらい。一方で本棚の書物は、「この表紙の色が印象深い」「あのとき読み込んでいた汚れや傷がある」という具合に、一冊ごとに付随した物語があります。だから忘れないのです。

森本　私もそう思います。匂いや手触り、もしくは友人や恋人と貸し借りした際に残った書き込みが、多くを思い出させてくれます。要するに物理的な存在自体が大事なんですよね。デジタル本はどこでも読めて物理的な制約がなく、たしかに利便性は高い。しかし、不便さや限定性が大きな益を生むこともあります。

藤原　写真もそうです。たぶんみなさん、二十年前に比べたら、少なく見積もっても一〇倍以上の写真を撮っているのではないでしょうか。

昔はフィルムを買わなくてはいけないし、現像という大変な作業を〝外注〟する必要があるし、ずいぶん手間とお金がかかりましたから、考えもなくパシャパシャ撮るわけにはいきません。だからこそ撮った写真は大切にアルバムに収め、折に触れて見返しては懐かしんだり、家族で思い出話を楽しんだりしたものです。

けれどもデジタルになったいまは、いくらでもタダで撮れて、PCやスマホのなかに簡単に保存できます。もう無制限ですよ。そのお手軽さが逆に、写真をぞんざいに扱うことにつながっているのではないでしょうか。保存した写真を見返すこともなくなり、いつ、どこで、どんな写真を撮ったかは記憶の藻屑《もくず》となってしまうことが多いような気がします。デジタル写真になって以降、撮る量は一〇倍になり、見返す量は一〇分の一になった、という印象です。

森本　コンピュータのなかにあると思うと、見ないですよね。それにデジタル写真は時間が経っても黄ばんだり、破れたりせず、ずっときれいなまま保存される。そこが紙のアルバムとの大きな違いです。アルバムなら、写真の現物が目の前にあって、でも経年で劣化していったさまを眺めながら、写真に切り取られた過去の瞬間を思い出深く味わうことができる。それが大切だと思いますね。

人間特有の情緒と美的感覚

森本　そもそも人間は寿命がある有限な存在であるからこそ、自分の限界を知るし、自己を認識できる。そして、限界の外には何があるのだろうと想像を巡《めぐ》らすわけです。

本だって、手元になくて不便だと思っても、その不在性が想像力を刺激して新たなつながりや展開を示唆《しさ》してくれることがよくあります。たとえば藤原先生の著作を読みながら書き込んで、本の内容と自分の考えを比較する。そのときにお風呂に入るとか、本から離れる時間をもつ。すると目の前に本がない状態で、「あれ？　本のなかで藤原先生、何て言ってたっけ」などと思い出しながら、自分のなかにある思想、考えとごちゃごちゃに混ぜ合わせる。そこから新しい発想が生まれることもあります。

こうしたリアルな営みこそが、人間の想像力や情緒、ひいてはクリエイティビティの源泉となるはずです。

ＡＩに話を広げると、人間と違ってＡＩは、自分に足りないものをいくらでも付け足していくことができます。限界がない。だから、自己を認識することもできません。これから何年経とうと、原理的にできないでしょう。

藤原　そうです、ＡＩには本質的に死がない。森本先生が人間の有限性について触れられたように、すべての人は永遠には生きられず、死という限定を抱えていることが、悲しみや恐れ、はかなさなど情緒の根源です。したがってＡＩは、人間に特有の深い情緒も美的感受性ももち得ません。情緒も感性もすべて、死に関わるものだからです。

もし人間が死ななかったら、大切な人との別れを悲しんだり、寂しく思ったりする感情が動きませんよね。また時間の流れのなかで一切が朽ちていくからこそ「いまこのときが素晴らしい。この瞬間のさまが美しい」と思う情動も起こりません。人生の喜び、幸福感、ひいては美的感受性まで失うことになるのです。

画家にしても、たとえば海の絵を描くとき、いまこの瞬間にしかない景色をキャンバスにとどめたいと思うのは、有限の人生を生きるなかで二度と同じ景色に出合えないという根源的な悲しみがあればこそ発揮される美的感受性なのです。

俳句にしてもね、ＡＩに「つくりなさい」と指示すれば、たぶん五分もあれば俳句らしきものを軽く一万作くらいつくるでしょう。過去の一〇〇〇万個の俳句をダーッと学習して、体裁だけを整えて。でも、その無数の俳句のなかから、もっとも優れた一句を選ぶことはできません。

同じように、人間の有限性から生じる情動というものがないＡＩには、数学の発見もできません。

森本　数学はコンピュータの得意分野のはずですが、発見はできないのですか？

藤原　証明はできても発見はできません。

森本　今後いくら技術が発達しても、ＡＩには数学的な新発見はできないのでしょうか。

藤原　無理だと思います。数学にとって重要なのは、論理よりも美を発見する感受性なんです。正しい解法はつねにシンプルで美しい。三角形の内角の和が一八〇度という定理は、たとえ地球が滅《ほろ》ぼうと変わらない。

この真理を見つける美的感覚は人間固有のもので、ＡＩにはけっして備わっていません。コンピュータには情緒がないから、いくら計算能力が高くても三角形の内角の和が一八〇度という性質は発見できないのです。情緒が求められる数学はまさにアートであり、リベラルアーツが求められる学問と言えるでしょうね。

世界に冠たる日本の数学者・岡潔《おかきよし》は、数学の難問を解くために必要なのは「情緒力」だと断言しました。彼は論文こそ生涯で一〇くらいしか書いていませんが、多変数解析関数の分野における世界の三大問題をすべて独力で解き明かした天才です。世界の数学者が「ＯＫＡ」とは一人ではなく、数学者の集団ではないかと思ったほどの人物です。

その岡が三大問題に挑戦する前にまず取り組んだのは、数学ではなく蕉門《しょうもん》（俳人・松尾芭《ば》蕉《しょう》の門流）の俳諧《はいかい》の研究でした。常人には理解し難い発想ですが、情緒の力なくして三大問題は解けないと直観したのでしょう。「わびさび」や「もののあわれ」を探求することが世界的偉業につながったわけで、私たちは岡先生の姿勢から多くを学ぶべきです。

森本　数学者はやはり特別と言うか、じつに斬新奇抜ですね。本当の飛び抜けた天才だけに開かれる世界ではないかと思います。

藤原　じつは私、いろんな天才を調べて、どんな条件のもとで天才が生まれるのかを突き止めました。三つあって、一つは、生まれ育った環境に「美」が存在することです。美しい自然、美しい芸術、美しい文学……自然と美的感受性が育まれます。

二つ目は、金儲けに役立たないものを尊ぶ心をもっていることです。金儲けに走ったとたんに、天才は俗物に成り下がります。

そして三つ目は、精神性を尊ぶことです。これについては、インドでノーベル賞やフィールズ賞を取った人はほとんどがヒンドゥー教のメッカである南インドの出身者だったことから気づきました。彼らは始終、ヒンドゥー教の神様に手を合わせます。そうそう、岡先生も浄土真宗で、毎朝一時間お経を唱えていたといいます。精神が透明になることが大発見につながるのかもしれません。

天才というのは世界から、人口に比例して出ているわけではありません。偏っているのです。日本から天才が出るのも、美しい風土があることが大きいのでしょう。幕末ごろから「国中が国立公園のようだ」と言われていましたから。

森本　いや、それは私がいつも大学のキャンパスについて言っていることと同じです。少なくともリベラルアーツの大学であるならば、キャンパスは美しくなければならない。薄汚れた雑居ビルだったり、道にゴミが散らばっていたり、植栽の手入れが悪かったりしたのでは、美を感じられない。大学で過ごす時間には、「真」だけでなく「善」も「美」も豊かに含まれていないとダメなんです。

危機の時代のいまこそリベラルアーツの真価が問われる

森本　じつは神学はリベラルアーツにとって重要な「批判する力」に直結する学問です。神学とは教会の教義を批判的に見直す営みなので、教会はむしろ疑惑の目を向けていました。つまり神学者は教会にとって、〝危険人物〟だったのです。

中世という時代に特徴的なのは、教会の権力と政治の権力――「聖俗二権」が混在していたことです。物事の考え方が一本線ではないんです。だから真理を探究する場面でも、「教会はこう教えていますが、神学者たちはまったく違うことを考えています」と、互いが異なる考え方を主張し、バチバチのバトルを展開します。権力もそうです。叙任権闘争などのように、「聖権と俗権、どちらが上か」といったことが議論されました。いわば「二焦点の楕《だ》円《えん》構造」。そういう緊張関係があったからこそ、大学という制度が確立し、学問が進んだのです。

一方、日本はと言うと、単焦点といいますか、政治の権力がすべてを一手に牛耳《ぎゅうじ》っていました。戦国時代の昔から公儀権力を「お上《かみ》」と呼んだように、誰も逆らえなかったのです。たとえば千利休が時の権力者、豊臣秀吉に取り込まれながら茶の湯を発展させたことを見てもわかりますが、芸術でさえも政治の権力と歩《ほ》を一《いっ》にしたのです。

それはいまも変わっていません。いろいろ物議を醸《かも》している、日本学術会議の任命問題にしても、本来なら学問の権威と政治の権威は別個であるはずなのに、なぜか日本は政治の権威のなかに取り込まれてしまう。その辺りに批判の精神・能力がなかなか育たない原因があるように思えてなりません。

藤原　キリスト教は国や地域によってずいぶん考え方が違います。神学はそういうことも批判的に見るのですね。

森本　そうです。たとえばアメリカを批判するには、その国のキリスト教を批判する歴史的視点が不可欠です。悩ましいことに、キリスト教の本場はアメリカだと思っている人が意外と多い。そのために「キリスト教は富と成功の福音だ」などと誤解されることも少なくありません。けれども、それはアメリカのキリスト教に特異な考え方であって、ヨーロッパやアジア、アフリカにはまったく異なる考え方があります。そこを批判するのが神学なのです。

藤原　アメリカがまた多様ですよね。知り合いのアメリカ人を見ても、いろんな派があって、キリスト教徒で一括りにできないと感じます。

森本　宗教を学ぶと、その国の思想の根源をつかむことができます。現在なら、とくにプーチン大統領を無批判に支持するロシア正教会をどう理解するかが非常に重要です。

藤原　世界中のキリスト教徒が泣いているでしょうね。

森本　まったくです。現在のような危機の時代だからこそ、どの学問を学ぶかではなく、「誰からどう学ぶか」というリベラルアーツの本質と真価が問われるようになるだろうと思います。

第五章

日本人が「新しい知」を生む時代へ

上野千鶴子×森本あんり

写真：後藤さくら

上野千鶴子
（うえの　ちづこ）

1948年、富山県生まれ。東京大学名誉教授。京都大学大学院文学研究科社会学専攻博士課程満期退学。東京大学で博士（社会学）学位授与。日本の女性学、ジェンダー研究のパイオニア。認定NPO法人ウィメンズアクションネットワーク（WAN）理事長。著書に『近代家族の成立と終焉』（岩波書店）、『おひとりさまの最期』『女ぎらい　ニッポンのミソジニー』（いずれも朝日新聞出版）、『最期まで在宅おひとりさまで機嫌よく』（中央公論新社）など多数。

結婚生活の持続に必要なものとは？

森本　上野先生は、私がかねてより尊敬する、数少ない方の一人です。『朝日新聞』での人生相談企画「悩みのるつぼ」も、いつも興味深く拝見しています。

上野　まあ、ありがとうございます。私のもとには下ネタや際物《きわもの》の相談がよく寄せられます（笑）。

森本　はい、それでいっそう大好きなのです（笑）。

上野　今回の対談テーマは「本当の教養やリベラルアーツ」だとうかがっていますが、あえて身近な話から始めるのも面白いかもしれません（笑）。

先ほどご紹介くださった『朝日新聞』の人生相談では、四十代の既婚女性から寄せられた「風俗に通う夫が嫌でたまらない」という投稿が、最近ではとくに印象に残りました（『朝日新聞』二〇二二年十月一日朝刊）。

私が着目したのは、相談者が夫を「気持ち悪い」と表現していたこと。これは身体感覚を指す表現で、もはや倫理や道徳ではどうにもならないですよね。ご飯をつくって出すくらいのことはできても、「触るのも嫌」な人の介護をするのは無理です。「心はだませてもカラダはだませません。そんなキモチ悪い相手とこれからも家族を続けますか？」と答えました。

森本　その回答、よく覚えています。私と一緒に読んでいた妻も、先生の回答に唸っていましたよ。

上野　森本さんならどうお答えになるのか、ぜひお聞きしたいわ。

森本　おお、いきなりジャブが飛んできましたか……。ストレートにお答えしにくい質問ですが、幸せを持続的に保つには、形はともかくとして、性的な充足感が重要な要素だと思います。先生が回答されたように、気持ち悪い、触るのも嫌な相手とでは難しいですよね。

じつは私も「人生の道しるべ」という人生相談企画を一年間担当したことがありまして（『Ｖｏｉｃｅ』二〇二一年九月号～二〇二二年八月号）、毎回、回答にとても苦労したものです。関連する話題だと、たとえば女性の学生から「結婚したいほど好きな男性がゲイなのですが、どうしたらいいですか」と相談されたことがあります。

もちろん、パートナーとして一緒に暮らしていく人生はありうるし、いわゆる「偽装結婚」は歴史的にもありました。ただし、女性として求められないまま結婚生活を続けていくこと、あるいは互いが別の場所で性の充足を求めるような関係は、持続可能になりにくいのではないか。彼女にはとてもつらい回答だろうけど、私はそう答えました。

上野　ヘテロセクシュアル（異性愛者）の女性とゲイの男性のあいだで友情が成り立つケースは珍しくないですよね。

森本　もちろん友情はあります。ただ、「結婚したい」と言われたら、その関係はどうなるでしょうか。

上野　結婚を単なる社会契約だと思えばよいのではないでしょうか。

森本　うーん、私は、結婚にまつわるロマンチシズムがすべて社会的に構成されたものだとは思わないのです。男女という組み合わせとは限りませんが、性も含めてお互いが全人格的に満たされるほうが、二人の関係は幸いで持続的だろうと考えてしまいます。

上野　理想はね。でも世の中には、出産してからずっとセックスレスの夫婦は数えきれないほどいるようですよ。結婚したとたんにぐっと減った、という夫婦も。

森本　ええ。ですが、出産後とかではなく、あらかじめ結婚前から性関係がないことを前提に、良好な婚姻《こんいん》関係を築いていけるでしょうか。

上野　いまでは、セックスを一度もしないままに結婚する夫婦はほとんどいないでしょう。いずれにせよ、最近は性に関する世間の風潮が変わってきていると実感させられます。ポリアモリー（関係者全員の合意を得たうえで、複数の人と恋愛関係を結ぶ恋愛スタイル）を公言する人も出てきました。私たちの世代はオープンマリッジ……。

森本　と言ってましたね。

上野　オニール夫妻が「夫婦が互いを、社会的にも性的にも独立した個人として認め合う結婚のスタイル」を提唱した。あれは「性革命」でしたね。それほど革新的だったのに、いつの間にか消えてしまった。それでまた旧態依然とした結婚が当たり前になっていたところに、ようやくポリアモリーが注目され始めた。当事者が「公言しても大丈夫」と思えるだけの許容性が、社会にできてきたことの証かもしれません。

森本　性に関する多様性は間違いなく広がっていくでしょう。私は男女の結婚制度を絶対視するわけではないし、ＬＧＢＴＱの自由な選択も尊重され公認されるべきだという意見です。そのうえで、持続的な幸せを得られる可能性で言えば、排他的関係をもたないポリアモリーはあまり高くはないという考えです。

上野　持続性のタイムスパンで言うと、結婚は一生ものか、一生より短いか。後者の人が増えてきたように思います。

森本　たしかに、モノガマス（恋愛パートナーを一度に一人もつ状態）と言ったって、「二度、結婚しました。三度とも真剣でした」って言う人は、いくらでもいますからね。

上野　私がつくづく感じるのは、長続きしているカップルほど、人生の節目で何度か夫婦関係の「再選択」をしているということです。そのなかには、単に別の選択肢がない諦めも含まれるのでしょうが、惰性ではなくて折に触れて選び直しをしてきた夫婦が結果として持続するのでしょう。

森本　なるほど、再選択の繰り返しですか。多くの夫婦が思い当たる言葉のように思います。

未知の問いを立ててノイズを起こす

上野　そろそろ本題に入りましょうか。ただし最初に断っておくと、私は森本さんと藤原正彦さんの対談のような格調の高い話はできませんよ（笑）。

森本　とんでもない。私は藤原先生との対談のなかで、「得られた知識でその人自身が変わり、ものの見方や考え方が変わるところにこそ、リベラルアーツの本義がある」と申し上げました。

また、本当のリベラルアーツはいつも反時代的で、社会への挑戦だと考えています。時代を遡ると、アメリカの大学はハーバードもイェールもプリンストンもどこも、もともとリベラルアーツの学校でした。のんびりと人格教育をやっていたんです。

ところがドイツにベルリン大学が創設されると、実用を重視した専門教育が急速に進みます。アメリカではそれを脅威に感じ、自分たちも変わらなくてはいけないと言い始めたわけです。

一方で十九世紀の終わりごろから、巨万の富を築いた実業家が何人も出てきます。ジョンズ・ホプキンズはその一人。世界屈指の医学部を有するジョンズ・ホプキンズ大学は、彼の遺産をもとに一八七六年に設立された世界初の研究大学院大学です。以後、知と富が結びついて専門性の高い大学・大学院が次々と創設されました。

しかし、過度な専門主義や科学偏重主義の行き着いた先は、二度の世界大戦でした。それで人間性の根本に立ち返ろうとするリベラルアーツが復権したわけです。たとえばハーバード大学の学長を務めたジェイムズ・コナントは、核兵器開発のマンハッタン計画に関与したことで、技術や知識を追求し続けることの危険性を身をもって感じた。だからこそ人間の幸せやよりよい社会を問うリベラルアーツの教育が必要だと考えたのでしょう。

つまり、リベラルアーツとは本来、国の政策によって大学を動かすことへの原理的な反発なのです。この点について、上野先生はどうお考えですか。

上野　「反時代的」や「社会への挑戦」というお言葉どおり、リベラルアーツや教養とは、まさしく批判的知性を育てるものです。思想家の加藤周一《しゅういち》さんは、批判的知性の向かう先は第一に「自己批判」だとおっしゃいました。

そのためには、誰も考えたことのない問いを立てて、ノイズ（雑音）を起こすことが求められます。とくに私が専門にしてきた社会学は、「常識の関節外し技」と言われるほど常識を疑ってきました。また「ユダヤ人の学問」と呼ばれるほど、周辺から社会を相対化して見る営みでもあります。その意味で社会学は、リベラルアーツの原点のような学問なのかもしれません。

カネを生まない学問は意味がない？

森本　上野先生は東京大学で教えておられましたから、学問の権威と自由、知性主義と反知性主義、その両方を実感してこられたのではないでしょうか。

上野　戦後の日本に、全国の大学で創設された教養学部は、一時の大学改革によって解体の危機に陥《おちい》りました。東大もその例外ではありませんでしたが、結果的に教養学部が守り抜かれたのは、蓮實重彦《はすみしげひこ》さんのおかげです。

蓮實さんは東大の教養学部長から初めて総長に就任された方で、リベラルアーツの重要性を真に理解されていました。ところが最近、日本の大学全体が実学中心の専門学校化の方向に向かっている気がしてなりません。

森本　政界や経済界を中心に「カネを生まない学問は意味がない」という風潮があるからでしょう。先日、ある官僚の方と話したときに、「人文社会科学系の大学院に進学したって、大して給料が上がらないでしょう。それなのに行く理由がわからない」と口にされていて愕《がく》然《ぜん》としました。その方にとっては、学問を修めるのは給料を上げるためでしかない、という認識なのです。

上野　そういう方が国の政策を担っていることが恐ろしい。教育を人的資本形成だと捉え、収益を生み出すことしか頭にないのでしょう。

森本　岸田文雄首相が自ら議長を務める教育未来創造会議は、理系分野を専攻する大学生の割合を、二〇三二年ごろまでに現在の三五％から五〇％に増やす目標を掲げています。イギリスやドイツなどの先進国は四〇%を超えているため、それらの国々に追いつき追い越せなのでしょう。しかし政府が推進する施策は、明治時代の殖産興業的な発想そのものではないでしょうか。

私が学生時代にネパールに赴《おもむ》いたとき感じたことですが、発展途上国の大学で人気があるのは理系・実学ばかりです。だとすれば、当時のネパールは世界でもっとも進んだ国だったことになるでしょう。人文社会科学の充実こそ、その国の文化の達成度を示すものです。理系分野を増やせば国民が幸せになるという発想自体が貧しいと思います。

政府や財界はSociety 5.0という標語をつくっていま盛んに使っていますが、この言葉は海外ではまったく通用しません。歴史学や社会学の人にきちんと意見を聞いていたら、そんな標語ができることはなかったと思います。

上野　そうですね。私は、理系＝実学、文系＝虚学とは必ずしも捉えていません。たしかに工学系の分野は実利的でしょう。工学系の教育システムは専門学校化すると思います。けれども、それこそ藤原正彦さんのご専門である数学なんて、限りなく哲学に近い学問ですよね。

森本　藤原先生自身、数学で問題を解くのに必要なのは美的感覚や情緒力だとおっしゃっていました。

上野　それに、二〇二二年のノーベル生理学・医学賞を受賞したスバンテ・ペーボ博士だって、四万年前のネアンデルタール人の骨に残っていた遺伝情報を詳しく調べているそうですが、実学からは遠いですよね。

理系分野の先生方と話していていつも感じるのが、基礎理論・基礎研究に研究費がなかなか出ないことへの強い危機感です。短期的に成果があがる分野にばかりお金が投入されてしまうのですね。

学者が研究するモチベーションの根源は何か。それは「面白い。知りたい」という好奇心に尽きるでしょう。そうした人間を突き動かす基礎的な研究にこそ、半世紀後に人びとのためになるかもしれない可能性が秘められていることを、私たちは思い返すべきです。そういう探究心の源になるものは、理系も文系も同じだと、私は思っています。

森本　おっしゃるとおりですね。

上野　この話をすると、理系の先生方とものすごく話が合います。

文学部が解体の危機に瀕している？

上野　先ほどの官僚のお話のように、「実学教育、大学の専門学校化だけをやればいい」と考えている、そんな人たちに国の舵取《かじと》りをされたくないと、つくづく思います。再び教養学部や文学部の解体論にもつながりかねません。

実際、東大の文学部はいま、危機的状況です。背景には、学生の質が変わってきたことがあります。それには入試のシステムが関係しています。東大を受験する学生は文科系も理科系も、Ⅰ類・Ⅱ類・Ⅲ類のいずれかを選択して出願します。文科はⅠ類が法学部、Ⅱ類が経済学部、Ⅲ類が教育学部・文学部となっていますが、レイトスペシャライゼーションなので、その学部に正式に所属するのが決まるのは三年次になってからなんです。そのために、たとえば「とりあえずハードルの低いⅢ類で東大進学を果たし、三年次にⅠ類かⅡ類に転部しよう」と考える学生が出てきます。

森本　文学を勉強しても、カネにならない、という発想でしょうか。

上野　そうです。Ⅲ類の学生がそのまま文学を専攻するとは限らない。それで文学部全体に定員割れが起こる危険が出てきています。すでに、東大文学部にあって老舗《しにせ》的な存在である梵文学とか、中国思想・中国文学などがそうなっているし、最近は驚くなかれ、独文が定員割れを起こしました。露文も危ない。ウクライナへの侵攻のせいで、少しは盛り返したかもしれませんが。

森本 どこも文学部にはそういう傾向がありますね。

上野 露文なんて、昔は社会主義に関心のある人にとっては、非常に魅力的な学問だったんですが、いまは「先生方より院生の数のほうが少ない」のが現状のようです。院生志望者がゼロの年があるくらいです。

そんななかでなぜか、哲学は一度も定員割れになったことがありません。仏文も何とかもちこたえています。学びたい人が一定数いる、ということでしょう。梵文、中文、独文、露文ももう伝統芸能のようなものですから、学びたい学生をこれ以上減らすわけにはいきません。どんなことがあっても、お金を出してでも、保存しなくてはいけないと思っています。

森本 ええっ、「伝統芸能」の範疇《はんちゅう》ですか（笑）。

上野 もう一つ、東アジアの漢字文化圏に話を広げると、いま、漢字・漢文学を最後に保存するのは日本ではないかと言われています。現実に、韓国はもう五十数年前に漢字を放棄しています。戦前まで使われていた漢字を読める学生は、どんどん減っています。中国の人たちでさえ、「簡体字」という簡略化された字体を使っていて、昔の漢字が読めなくなっています。台湾と日本だけなんです、漢字を保存しているのは。

冗談ではなく、中国の研究者が漢字・漢文学を学ぶために日本に留学しなければならない、みたいなことも起きかねません。「カネにならないから学んでも無駄だ」なんて、簡単に切り捨ててはいけないのです。

宗教と権威主義

森本　それでちょっと思い出しましたが、漢字文化圏は漢字を共通言語のように使えて、それは大きなメリットでした。でもね、その昔、マイナスに働いたこともあります。

上野　どういうことですか？

森本　昔の日本人、とくに知識階級の人は漢字が読めたから、お経をそのまま〝漢字読み〟しました。「色即是空」の文字を見て「しきそくぜくう」というふうに。だからいまの日本人はお経を聞いても、何のことやらさっぱりわかりません。昔の知識人は漢字を見れば何となく意味がわかっちゃう。だからわざわざわかりやすい言葉に置き換えるまでもなかった。そのために仏教が長いあいだ、中国仏教の経典に支配されてきた部分がありますよね。それはマイナスだったかなと思います。

上野 仏教ではキリスト教のような宗教改革が起きなかったこともあるでしょう。つまり仏教は、世俗言語への翻訳をしなかった。たとえば日本の仏教徒が「般若心経《はんにゃしんぎょう》」の最後に「羯諦 羯諦 波羅羯諦（ぎゃあてい ぎゃあてい はらあぎゃあてい）……」と唱える、あれは呪文のようなものです。意味がわからなくてもありがたく聞こえるのは、権威主義のせいでしょう。

だからキリスト教のように「神様、今日の食べ物をお与えください」みたいな平易な言葉に直さなかったのだと思いますね。

森本 なるほど。仏典のように、知識が上流の知識人に独占されていくと、上野先生がおっしゃったような権威化が生じますね。

ただお釈迦《しゃか》様は「西方のパーリ語（主にスリランカ、ミャンマー、タイ、カンボジアなどで話されていた俗語。いわゆる南方仏教の仏典に用いられた）でしゃべりなさい。でないと、伝道なんかできませんよ」とおっしゃっています。またイエスが使った言葉もプラトンなどが使ったような高尚なギリシア語ではなく、コイネーという商人や町人たちの平易なギリシア語でした。だからキリスト教は、広く布教することができたのでしょう。

宗教もシステム化していかないと、次の世代に継承していくことが難しい。だからいったんはシステム化するのですが、やがて知性が権威をもつことへの反発が起こります。たとえば建国当初のアメリカでは、大学出のエリート牧師たちが決まった教会で堅苦しく難しい説教ばかりしていました。その知性主義への反発から、信仰復興運動を担う伝道者が出現しました。彼らは各地を巡回し、易《やさ》しく感動的な説教をし、人びとを信仰に目覚めさせたのです。いまでも同じで、そういう反知性主義的な伝道者たちが次々と登場しています。

上野　それ、先生のご著書『反知性主義』で読みました、本当に面白かった。アメリカの建国に宗教運動がどれほど深く関わっていたか、知ってはいたけれど、ここまで体感したのは初めてです。

森本　そこまで言っていただいて、恐縮です。

上野　あとがきで興味深いことを書かれていましたね。「アメリカの宗教運動に匹敵するような運動が日本にはあったのか」という問いかけがあって、「鎌倉仏教の時代だけである。その後はない」と。

森本　そうです。空海なんて、反知性主義の塊のような人物でしょう？　こういう見方は仏教徒の方にあまり評判がよくないけれど。

上野　言われてみればたしかに、空海はもちろん、あの時代の親鸞、日蓮《にちれん》、一遍《いっぺん》も、アメリカの宗教運動における巡回伝道師そのものだと思えます。

森本　上野先生みたいな人があちこち回っているようなものですよ。人びとの常識的な知をぶっ壊していって、新しい芽を見せてくれる。フォロワーも多い（笑）。

上野　いえいえ、私は宗教家ではございませんので。

日本の大学は「メタ知識」を生み出せていない

森本　上野先生と言えば、二〇一九年度の東京大学入学式での祝辞が話題を呼びましたよね。知の創造性や多様性の価値など、これから学問に向き合う学生たちにふさわしいお話だと、私も感銘《かんめい》を受けました。

上野　ありがとうございます。スピーチでは、まだ見たことのない知を生み出すための知を「メタ知識」と呼ぼうと訴えたのですが、じつは私自身、この名称がいまだにしっくりきていないんですよね（笑）。心理学には「メタ認知」という概念がありますが、それとは違います。

森本　「メタ知識」とは、既存の知識の枠組みを飛び越える一段高次元の知のことですよね。

上野　ええ。かと言って、ノウハウやスキルといった言葉を使うと、どこか軽く聞こえてしまいますし。

森本　存在しないものにあえて名前をつけようと試みる上野先生の姿勢は、研究者の原点だと思います。

上野　あのスピーチをした後に東大法学部三年の学生が私のところにやって来て、「先生は高等教育の役割は『メタ知識』を身につけることとおっしゃいましたが、いま僕らの受けている教育が、そんな教育とは思えません」と言ってきました。

森本　何とも率直な訴えではないですか（笑）。

上野　私は彼にこう返しました。「はい、そのとおりです」と（笑）。残念ながらいまの高等教育は、「メタ知識」を身につける役割を果たせているとは思えません。

それで思ったのは、いろんな分野の知識を横断的に学べるリベラルアーツは、見たことのない知を生み出すための一つの装置ではないか、ということです。

森本　装置が機能するためには、多くの蓄積が必要ですね。

上野　もちろんです。

森本　私は哲学や神学という古い学問系なので、大学教育で新たな知を創造するのは、簡単ではないと思っています。じつのところ、ほとんどの学生は既存の知を一所懸命に学んで、自分の知性を耕《たがや》すことで、新しいように見える薄い一枚の皮をつくるのがやっとでしょう。

上野　おっしゃることはよくわかります。が、現実の変化が学問を追い抜いていきます。そんな状況のなか、いかにして新たな知を生み出すか。

情報工学には「情報とはノイズが転化したものである」という命題がありますが、私はこの言葉がとても腑《ふ》に落ちました。ノイズなきところに情報は生まれません。

ではノイズはどこで発生するかと言えば、システム間の落差から発生します。ドイツの社会学者ニクラス・ルーマンは、「システムとはノイズの縮減装置」だと言いました。

森本　ノイズが小さくなったほうがスムーズで、考える必要がなくなりますからね。

上野　ええ。言い換えればシステムとは、物事をルーティン化することでノイズの発生を抑制する装置なのです。裏を返せば、システムにどっぷり浸《つ》かっていたらノイズが生まれず、情報はつくられないし、知の創造もありません。

そうではなくて、多様な分野を股《また》にかけ、多元的な価値尺度をもって学び、知識を蓄積していくことで、ノイズの発生装置をつくる。そういう意味では、既存の社会に疑問を呈《てい》し続けてきた社会学者は、ノイズ・メーカーだと言えるかもしれません。

森本　なるほど。リベラルアーツにふさわしいお話です。じつは神学という学問も同じなのです。中世の大学は教会と深い関係にありましたが、神学は教会や教義を批判的に論ずるので、教会は大学を危険視していたのです。そういう緊張があってこそ、学問が進みます。

上野　批判や対立もノイズの一種ですね。

遠い言語を学ぶ

森本　ノイズを生むためには、まずは小さなシステムがあちこちに存在する事実に気づかないといけません。教育もある種のシステム化で、誰もがそのなかでその人なりの知性と偏見が育てられていくわけです。そこで終わらずに、自分が触れてきたものとは別のシステムに積極的に接することができれば、ノイズが生じて、そこから新しい知が生まれるかもしれない。「あれ？　このノイズは何だ？」と思ったところで、リベラルアーツが始まるのでしょうね。

上野　翻《ひるがえ》って、国家だってじつは、狭くて小さなシステムの一つとも言えます。だから複数の言語を学び、他国の文化を知ることがとても大事なんです。それだけ世界に通じるチャンネルが増えます。

森本　一つの言語しか知らない者は、言語について何も知らない――。

上野　おっしゃるとおりです。ところが最近のアメリカの大学では、英語以外の外国語教育が軽視されているのか、モノリンガル（単一言語習得者）化していると耳にします。

森本　英語が多くの国で通じるからか、アメリカ人はもともと他言語を学ぼうとしない傾向にあります。知らない言語に触れて、自分が当たり前に使っている言語体系がローカルなものだった、ということに気づくチャンスがないんです。だからニーバーという神学者が書いている笑い話ですが、アメリカ人は外国で自分の英語が通じないと、大きな声でゆっくり言い直せば通じると思っているんです。日ごろから異なる言語に触れていないと、いずれは英語力すら衰退してしまうかもしれませんね。

上野　母国語以外を学ばないと、自分たちの言語を相対化できませんし、新しい知も生まれませんからね。逆に言えば、日本のような言語小国民は必然的に多様な言語を学ぶ必要に迫られるため、これからの時代には好機が巡ってきているように思います。

森本　日本が世界で戦うには、否応《いやおう》なしにバイリンガル（二言語習得者）にならないといけませんからね。

上野　そうなんです。アメリカのモノリンガル化は、日本がグローバルに渡り合ううえでの絶好のチャンスだと感じました。

森本　どのみち多言語を学ぶとしたら、距離的にも時代的にも遠い言語のほうがいいと思います。たとえばヘブライ語なんてね、時制が完了と未完了の二種類しかありません。それでどうやって言葉が紡《つむ》がれていくのかを学んでいくと、自分がそれまで馴染《なじ》んでいた時制の世界――現在、過去、未来、現在完了、過去完了、未来完了といった複数の表現がすべて壊れる。それは非常に面白い経験です。

上野　中国語もいいですね。アメリカは東アジアの研究者を養成するにあたって、東アジアの言語を二カ国語以上、必修にするそうです。これには感心しました。日本は言語の異なる国の研究者が交流することがとても少ないので、複数言語を習得する英語圏の研究者のほうが優位に立てたりします。中国、韓国、日本、台湾を俯瞰して見ることができるからです。

大学入試の推薦枠を拡大すべき

上野　日本の高等教育にリベラルアーツが根づかない背景には、大学の選抜方式も関係しているでしょう。現在の入学試験のように、一つの正解が決まっている問題の正答率を競うやり方では、「クイズ王」のような人材ばかりが集まってしまいますよ。

森本　ほお、クイズ王、ですか。

上野　もちろんクイズ王になるのだって努力が必要で、簡単なことではない、というのはわかります。でも東大生たちにはクイズ王を越えてほしいから、あえて毒づくんです、「ノイズを立てて新しいものを生み出すような人物が、あなたたちのなかから生まれるとは考えにくい。悪いけど、あなたたちに二十一世紀は託せない」って。

森本　ただ当の東大は、いまの入試選抜制度を大きく変えることはないのではないでしょうか。市民社会の公益よりも、あくまでエリートを輩出するという自分たちだけの役割を重視している気がします。

上野　公益と言うより、国益優先ですね。

森本　上野先生は東大の入試選抜制度をどのように変革すべきとお考えですか。

上野　現在の東大入試の総定員は約三〇〇〇人なのですが、そのなかで推薦枠は全体の約三％の一〇〇人程度にとどまります。私はいっそのこと、推薦枠を一〇〇〇人程度、すなわち総定員の三分の一ほどに大胆に拡大すればよいと考えています。

東大一般入試の女性の割合は二割に満たない一方で、推薦入試では四割を超えています。つまり、推薦入試の枠を増やせば、女子学生の割合も自ずと増す結果になります。

森本　単に女性の割合を増やすと訴えると、アファーマティブアクション（積極的格差是正措置）への反発が起こりそうですが、たしかに推薦入試枠の拡大ならば自然と女性割合の増加が実現できそうですね。

上野　すでに大胆なＡＯ入試を実施した大学の調査では、推薦枠の入学生のほうが一般入試で入った学生よりも在学中の成績の伸びしろが大きく、他の学生に好影響を与えていたそうです。たとえば、ある地方国立大学では推薦枠を総定員の四割に引き上げる方針を示すなど、他の大学は行動に移しています。ここで東大の入試制度が変われば、受験業界全体の改革が一気に進みますよ。

森本　大学入試を急速に変えているのがアメリカです。ＳＡＴやＡＣＴなどの全米標準テストは、もはや多くの大学で任意もしくは実施していないのです。試験で測ることのできる能力だけでは大学生を集めない、という姿勢なんです。

上野　それは知りませんでした。アメリカはそこまでできましたか。

森本　ジョン・オーブリー・ダグラスが著した『衡平な大学入試を求めて』（九州大学出版会）に詳細が書かれています。アメリカの入試改革を先導するＵＣ（カリフォルニア大学）は公立校なので社会と契約関係にあり、公益を目指しているからこそ、多様性のある入試制度への大幅な変更が可能だというのです。

上野　公益の体現を目指しているとは素晴らしいですね。日本でも入試の段階で、偏差値よりも伸びしろのある学生を選抜するべきです。

森本　そう考えると、次に必要になるのが、伸びしろのある学生を見極める制度変更です。九〇点の学生を九五点に上げるのか、六〇点の学生を八〇点に上げるのか。大学という制度の意義に関わってきます。

上野　同感です。私自身は東大入試に関わったことはありませんが、大学院は教授たちが自分で選びます。その際の評価は、これまでに何を達成したかより、この先どれだけ伸びしろがあるかを重視しています。

森本　問題は、入学後に伸びそうな学生を、入学前にどうやって見つけ出すか、ですね。

上野　フランスのように、入試問題で受験者に長い論文を書かせてはどうでしょうか。答えの出ない哲学的な問いを与えて、どんな本を読んでもかまわないから何日以内に完成させなさい、と出題するのです。

伸びしろのある学生であれば、たとえ論理や表現が稚拙《ちせつ》だとしても、教員が「おっ！」と思う斬新な発想のレポートを書き上げるはずです。

私の経験上、東大生は全体としてどの課題もそつなくこなす適応力があります。レポートを読む相手に合わせるから、私のところへは私が言ったことばかり書いてくる。つまらなくて、退屈で、読んでいるうちにだんだんムカムカしてくるくらいです。

たまに「これはちゃんと自分の頭で考え、自分の言葉で書いているな」という形跡が認められることがあって、そういうレポートを読むと、「この子は伸びる」と思いますね。

ただ全般的に、教員側の想定を超えたレポートを出す確率は、私立大学の学生のほうが多い印象です。

森本　私も何年か非常勤で教えましたが、東大では「答えを間違える」ことを何としても避けようとする学生が目立ちました。間違えることで伸びるのに、それを恥ずかしいと思っているのです。本当は「間違えても平気」であることが、大学の大事なカルチャーであるべきなのですが。

上野先生が提案された入試制度を採用するならば、学生の伸びしろを見抜く教員の力量も問われることになります。

推薦枠により「多様性」を確保する

森本　大学入試で推薦枠を増やす目的の一つは、多元的な尺度で学生を選抜できることにあります。偏差値一元尺度ではなく。

上野　アメリカはやっていますね。

森本　たとえば高校時代、どんな活動をしていたか、とか。それも偏りすぎると、受験のために何かの活動に取り組むようなことが出てくるので、複数の基準を設けています。

上野　東大関係者のなかには、「どうして学内に多様性が必要なのか、そのコンセンサスさえまだできていない」と言う人までいて、驚きます。

森本　多様性を確保することは、大学にとって絶対にプラスですよ。先般、ウクライナの学生が初めて東京女子大学に来まして、それを実感しました。歓迎会の最中に外の道を救急車が通ったとき、彼女が瞬間的に「あ、空襲……」と極度に緊張したのです。私たちにはそういう感覚がまったくないので、驚きながら「大丈夫、大丈夫」となだめました。

上野　そこでノイズが起きますね。そういう人と触れ合うだけで、日本の若い女性たちも「戦争は自分たちのすぐ隣にあるんだ」という経験をしますから。そういう経験を意図的につくりあげるのが教育の役割の一つだと思っています。

でも現実問題、推薦枠をつくるのは難しいですね。じつは東大で工学部の女子枠をつくろうとしたことがあったのですが、当の工学部女子が猛反対したんです。「私たちは公正な競争を勝ち抜いて入学したんだ」というプライドを守りたいのでしょう。それで頓挫《とんざ》してしまいました。

森本　先ほど触れたアファーマティブアクションへの反発ですね。推薦枠で入学した学生に対して、「公正な選抜競争を勝ち抜いてきた者ではない」という蔑視がある。

上野　はい。在学中も、下手したら卒業後まで、「君、女子枠だよね。帰国枠だっけ」なんていじられる場合すらあります。そんなブランドで守られるプライドなど何ものでもありません。そういう狭い了見の学生には、「外国に出てごらん。『東京大学？　どこ、それ？』って言われるよ」と言ってやりますけどね。

世界に目を向ければ、東大のランキングは確実に落ちていきます。いまや高等教育の業界はグローバルマーケットですから、大学改革は急務でしょう。私はずっと「前門の虎、後門《こうもん》の狼《おおかみ》」と言い続けてきました。「前門の虎」はグローバリゼーション、「後門の狼」は少子化です。大学が生き残るためには、グローバル人材を育てなくてはいけません。

中国の留学生の国際移動って、本当に速いですよ。彼らに国境はなく、あっという間に動きます。東大に来た子に「どうしてここを選んだの?」と尋ねると、私の前で公然と「英語圏の大学に行けなかったから」と答えます。東大はいまやセカンドチョイス、サードチョイスになっている。いまの選抜方式を維持しようとすると、東大の世界ランキングは下がっていく一方でしょう。

森本　日本の行政は、東京大学をはじめとする名の通った国立大学に大きな予算を配分して、何とか頭一つ飛び出た、人目に立つ大学をつくってもらいたい、というやり方です。全体の底上げには目もくれず、トップだけを高くしようとする。この政策志向は、列強に追いつけ追い越せの明治時代から昭和時代を経て令和の今日まで、まったく変わっていません。でもね、高い山をつくろうと思ったら、まずは広い裾野をつくることです。きっと東大は今後もいまの役割を担わされ続けていくのでしょう。

上野　残念ながら、そのとおりですね。

読書の肝は自分の考えが揺さぶられるか

森本　教養と言えば、昨今ではビジネスに役立たせるために、「コスパ」よく教養を得ようとする「ファスト教養」の風潮が広がっているようです。ずばり『ファスト教養』（レジー著、集英社新書）という本も話題になっていますが、著者はファスト教養に頼りたくなる心情に理解を示しながらも、流行する背景やその問題点について指摘していました。

よく「教養を身につける」と言われますが、そもそも教養とは、アクセサリーのようにつけたり外したりするものではありません。ダイエットと同じで、一定の時間と労力をかけなければ結果はともなわないでしょう。

上野　「ファスト教養」と聞いて頭に浮かんだのが、私のゼミ出身の古市憲寿《ふるいちのりとし》さんが著した『10分で名著』（講談社現代新書）です。古市さん本人は数多くの名著をしっかりと読んでいるし、「原典を読むべし」とのメッセージを本書で送っています。でも、出版社の本の売り方が「ファスト教養」に寄っているんですよね。大事なのは名著の情報や要点を知ることではなくて、そこからいかに自分の考えが揺さぶられたかでしょう。

森本　そのとおりですね。揺さぶられて、ノイズを知って、自分の考えを鍛え直す時間です。

上野　とはいえ、私だってなにも表紙からあとがきまでの一字一句をすべて細かく読めと主張しているわけではありません。たとえば、まずは目次を開いて、気になる箇所をピンポイントで読む。そこで「おっ！」と思う内容だったら最初のページまで遡り、まえがきから最後まで通して読み進める。すると、自分の考えを揺さぶる素晴らしい本に年に何冊かは出合えますよ。

森本　私が学生に言っているのは、まずは自分でつかまえたい魚に合わせて網《あみ》を大きく投げろ、そして引っかかるところがあったら、そこを徹底的に読め、ということです。予測も期待もなしに漫然《まんぜん》と読むだけでは、何も引っかかりません。

あと、何冊読破したかという量ではなく、何回も読み直す本が一冊でも二冊でもあるほうがはるかに重要です。シェークスピアの『ロミオとジュリエット』だって、学生時代と自分が親になって娘をもってからとでは、読んだときの感じ方がまったく違うんです。

上野　そうですね。いまの私なら、「その恋愛は若気《わかげ》の至りだから、一度立ち止まって考えて」と忠告したくなりますし（笑）。

森本　それと、読み進めるうえで自分の軸が固まっていれば、「この著者の考えは私と合うな」「自分とは主義主張が違う書き手だな」などと、思考を巡らせながらページをめくることもできるでしょう。

教養を養うと寛容になれる

上野　自分なりのアンテナを張ること、つまりオリジナルの問いを立てることがとても大切ですね。

森本　でもそんなことを言うと、一般的な学生からは「自分なりの軸なんてわかりません」と反論されてしまうかもしれません。

上野　誰しも、その人なりの原体験や当事者性は必ずあるはずです。たとえばゲイや在日の学生は、生育歴において多かれ少なかれ決定的な経験をしていることでしょう。またたとえ特別な境遇でなくとも、家族との関係や些細《ささい》な出来事から自分を見つめ直すことはできます。
私の場合は女性学に出合い、自分自身を研究の対象にしていいんだと目から鱗《うろこ》が落ちて、学ぶ意欲が湧いたものです。

森本　教養が養われると、社会に批判的な考えをもっても、同時に寛容な態度をもつ人間になれると思います。攻撃的で歪《いびつ》な形だった心が次第に矯《た》められて、丸みを帯びてくるイメージでしょうか。まあそれでも、大学の先生たちはいつも誰かと喧嘩《けんか》しているのですが（笑）。

上野　学者同士はたしかに仲が悪いですね（笑）。でも、いまの森本さんのお話は最高で、とっても大切です。私の言葉で言い換えれば、いろいろな研究をして教養を培うと、本当の「敵」が何かがわかってきます。女性学は、旧態依然とした家父長制を批判してきましたが、その仕組みや弱みを知ると、女性を抑圧する、自分にとっていちばん嫌いな存在であった家父長男性に対して理解と同時に同情ができるようになりました。

森本　オッサンたちも大変なんだと。「ざんねんないきもの」みたいに（笑）。「こんなおっさんは嫌いだ」という感情が残りつつ、礼節を守って、社会関係を維持するというのが、私の考える寛容でしょうか。

上野　それに似たことを、林真理子さんがうまいこと表現しておられました。「一人一人の男性を近くで見ると、それぞれ美点があるし、愛すべき人もいるけれど、束になると壁になる」と。

相手の事情を理解できれば、寛容になってむやみに攻撃しなくてすむようになります。自分と対立する立場にも思いを馳《は》せられる。やはりリベラリズムとは、最後には寛容と結びつくのだとしみじみ感じ入りました。

森本　素晴らしい結論です。今回は「上野千鶴子劇場」を存分に堪能させてもらいました。ありがとうございました。

第六章

長谷川眞理子×森本あんり

ChatGPTで教養は得られない

長谷川眞理子

（はせがわ　まりこ）

1952年、東京都生まれ。日本芸術文化振興会理事長。東京大学理学部卒業。同大学院理学系研究科博士課程修了（理学博士）。専門は自然人類学、行動生態学。イェール大学准教授、早稲田大学教授、総合研究大学院大学教授・学長などを経て、2023年4月より現職。著書に『生き物をめぐる4つの「なぜ」』（集英社新書）、『モノ申す人類学』（青土社）、『進化的人間考』（東京大学出版会）など多数。

人間とチンパンジーの大きな違い

森本　長谷川先生とは以前、天城《あまぎ》学長会議（国公私立大学の学長たちが、IBM天城ホームステッド〈静岡県伊豆市〉で自由に討論する会）でお会いしましたね。

長谷川　その節《せつ》はありがとうございました。

森本　私は長谷川先生が執筆されていた『Voice』の「巻頭言」が大好きで、毎月楽しみに読んでいました。限られた紙幅のなかで人間の本質を問い直す深い内容に、毎回新鮮な発見があります。まさにリベラルアーツを体現した連載だと思います。

長谷川　素敵な感想をいただけて光栄です。森本先生は同誌で以前、人生相談（「人生の道しるべ」）を連載されていたでしょう。

森本　いやはや、ご覧になっていたとは。人の悩みに答えるのはなかなか大変で、毎月こっちが頭を悩ませながら書いておりました（笑）。

今回まず話題に上げたいのが、長谷川先生の近著『進化的人間考』（東京大学出版会）です。あまりに面白かったので、私が読書委員を務める『読売新聞』の書評欄でも取り上げました。

とくに興味深かったのが、チンパンジーについての記述です。高度な知性をもつと言われるチンパンジーは、じつは二語以上の文法規則を理解して表現することはない、と書かれています。

私の印象では、霊長類の研究者は往々にして「人間との共通点」を強調します。ところが長谷川先生は、チンパンジーは自分の要求を伝えるだけで、相手の伝える意味を共有したうえでの反応や対話はしない……といいますか、そもそも対話なんてしたくないのだ、と人間との差異を語られます。

たしかにわれわれ人間は、たとえば幼児が犬を見て「ワンワンかわいい」と言えば、大人が「そうだね、かわいいね」と反応しなければ満足しない。子どもは自分が描写した世界に大人が反応することで、自分の心が相手の心とつながったことを確認して安心するわけです。『進化的人間考』では、こうした人間とチンパンジーの違いが明快に論じられていて、じつに面白く拝読しました。

長谷川　おっしゃるように、チンパンジーは「心」を共有しません。私が大学院で進化生物学の研究を始めた当初は、「人間の源泉は霊長類にある」ということから、サルの行動を研究しました。でもその後、フィールドワークで東アフリカのタンザニアを訪れて、自分の目でチンパンジーの生活を観察すると、「人間とはまるで違う」と思い知らされたんです。

たとえば、チンパンジーの母子はほとんど互いに目を合わせません。チンパンジーにとって、相手の目を直視するのは「ガンを飛ばす」こと、つまりは相手を威嚇《いかく》して怒りを表現することなんです。目を合わせてにこっとするというのは、人間に特異的なことですね。

森本　なるほど。私の家の犬は、人間と互いにウルウル見つめ合うことがあってとてもかわいいのですが。

長谷川　ええ。自分たちと同じ「見つめ合う」性質をもつ犬を選択してきたからこそ、人間と犬との共存が果たせたと言えるでしょう。友人の獣医の先生によると、目を見つめ合うと、オキシトシン（脳下垂体から分泌されるホルモンの一種。ヒトの愛情、信頼などに関係のある物質と考えられている）がどんどん出て、互いの愛着が強まるそうです。

じつは私は研究対象として選んだにもかかわらず、昔はチンパンジーのことが好きではありませんでした。縄張りや地位を争って暴力を振るい合い、殺し合うことだって少なくありません。加えて肉食動物のように狩りが得意ではない分、相手を一撃で仕留めることができず、なぶり殺しにする。観察するこちら側の気が滅入《めい》ってしまい、見るのも嫌になった時期さえありました。

森本　研究対象に魅力を感じて入れ込む学者も少なくないなか、長谷川先生は珍しいタイプかもしれませんね。しかしだからこそ、人間とチンパンジーの違いを鋭く分析なさるのでしょう。

「中国語の部屋」問題

森本　ここで一つ、以前から気になっていた疑問をぶつけさせてください。数年前、京都大学霊長類研究所の研究グループがチンパンジーに「じゃんけん」のルールを教えることに成功した、と報じられたことがありました。

記事によれば、チンパンジーには四歳児程度の理解力が備わっているという。専門外の立場としてこの研究に敬意を表する一方、研究の結果についてはやや腑《ふ》に落ちないところがあったんです。

じゃんけんでグー・チョキ・パーを示す画をチンパンジーの手から人の手に変えたり、手の左右を入れ替えたりしてチンパンジーに見せると、今度はルールを理解するのに時間を要するらしい。ここで思い起こされたのが、「中国語の部屋」です。

長谷川　ジョン・サール（アメリカの哲学者）が一九八〇年に提唱した思考実験ですね。中国語を理解できない人が部屋にいて、小さな穴を通じて室内に中国語で書いた質問を送ると、正しい答えが返ってくる。しかし、部屋のなかにいる人は中国語を学習したわけではなく、じつは室内にある質問と回答の法則性を示したマニュアルを読んでいた。部屋の外にいる側からすれば、部屋の人びとが中国語をわかっているように見えるけれども、実際は何も理解していない、という話ですね。

森本　同様に、先述した実験に参加したチンパンジーもじゃんけんの仕組みを理解したわけではなく、単にパターンどおりに動いただけではないか、と思われます。

長谷川　いまのＡＩ（人工知能）はまさにそれですよね。

森本　そうです、だからチンパンジーが人間のように、相手の心を推測し、共感してラポール（信頼関係）を築く「人間的な理解」をしたのとはまったく異なる気がしてなりません。

長谷川　たしかに、人間は赤ちゃんのときから他者と心を共有しながら話し、互いに納得するという行為をやっています。それが当たり前すぎて、ほかの動物にも自分たちと同じことができる、と思い込んでいる節がありますね。

犬に対しても同じことが言えます。先ほどの見つめ合う話にしても、犬が人間に愛情をもっているのかどうか、本当のところはわかりません。実際、犬が人間の欲求を理解するかどうかを見る実験がたくさんあります。ある実験では、まず人間が犬の前で自分の好きな物を身ぶり・手ぶりを交えながら「大事、大事」と伝えて、いったんその場からいなくなります。次に、間をおいて戻ってきたら、その大事な物がなくなっている。「ない、ない」と探し回ったら、犬はどんな行動をとるか、というものです。

もし犬が大事な物のある場所を教えてくれたら、人間は犬が自分の気持ちを理解していると思いますよね？　ただ犬にとっても好きな物だとそうなるけれど、関心のない物だと知らん顔をする。

つまり犬は、自分の欲求と関係なく人間の気持ちを理解するのはちょっと難しいようです。人間はどうしても「わかってるよねぇ、私の気持ち。かわいい、かわいい」と思ってしまいますけどね。

森本　人間は動物に対して、自分自身を投影しているのかもしれません。しかし現実はそうではない。まあそれでもやっぱりかわいいけど。

長谷川　チンパンジーがどれほど人間に近いかについては、イギリスの動物行動学者ジェーン・グドールの研究が世界的に知られています。彼女の活動が霊長類研究を進展させたのは事実ですが、あえて穿《うが》った見方をすれば、「人間と霊長類の類似性を強調すれば、研究費を獲得しやすくなる」という戦略的側面もあったはずです。

人間は有史以来、地球環境を破壊してきましたが、同時に複雑な文明を築くことに成功しました。片やチンパンジーは、人間と同じく六百万年ほど前に誕生しながら、文明を発展させるどころか、いまや絶滅危惧種です。

両者の根本的な違いを解明しない限り、私たちは人間の本質に辿りつけない。チンパンジーの知能をことさらに持ち上げるだけの人類学では、これ以上の発展は望めないのではないでしょうか。

人間至上主義という近代の誤解

森本　人間とチンパンジーの共通点が強調されがちな理由を考えたとき、東洋的な思想も影響してはいないでしょうか。たとえば仏教では、「山川草木《さんせんそうもく》すべてに仏性《ぶっしょう》がある」と言います。生き物のあいだに序列のようなものがありませんよね。

一方で西洋では、もともと神の主権が前提とされていたのに、近代合理主義が神を消去した結果、生物世界のトップに君臨するのは人間だと解釈されるようになってしまった。これは、キリスト教が世俗化して生じた負の側面です。

こうした近代西洋の人間至上主義は、むしろ伝統的な聖書の考えから批判されなければならないと思います。聖書では万物が神の被造物ですから、神の前では基本的にすべての生き物が平等なのです。そのなかで人間には他の生き物にない特別な能力が与えられている。そのことは現実的に認めていますが、人間はあくまでも神に管理を委ねられた存在にすぎません。

だから聖書では、「人間がいちばん偉い」という思想にはならない。人間の特別な能力は、委ねられた仕事のために必要なものです。しかし近代化で神が見失われると、管理者であるはずの人間が自分こそ全権を有する所有者だと錯覚するようになったのです。人間は、自分たちが自然世界を自由にできる主人だと思い込んでしまった。

長谷川　キリスト教に「自然の階段」という概念がありますよね。最下位の鉱物から植物、動物、そして最上位のヒトに至るまで、階段のように序列が上がっていく考えです。この発想のもとは、やはり聖書にあるのでしょうか。

森本　「存在の連鎖」ですね。キリスト教と新プラトン主義が融合したものです。これもルネサンスや近代以降の人間至上主義につながりました。

人間至上主義というのは、たとえるなら「雇われ社長」のようなものでしょうか。オーナーの姿が見えなくなったものだから、雇われの身でありながら、自分こそが所有者だと思い込み始めたわけです。

長谷川　それで西洋では、「人間は自然をどう利用してもいい。壊したってかまわない」と考え、行動する権利を神様から授かったというふうに考えると？

森本　はい。でもまったくの考え違いですよね。雇われ社長だって、雇用者を自分の自由に使っていいわけはないし、社会に対しても責任ある経営をしなくてはいけない。そういうところが問題だと思います。

長谷川　近代化とともに「人間至上主義」が横行するようになったという指摘は大変鋭いですね。

創造論は人間の経験から生まれた

森本　長谷川先生は前述の「巻頭言」（二〇二三年二月号）で、「すべての生物は、神が世界創造のときにいまのままの姿で別々につくった」とする「創造論」の根拠について指摘されていました。聖書にそう書かれているという理由だけでなく、当時の人びとは「一つの種《しゅ》から分岐して新しい種が生まれるところは見たことがない」という経験的な観察から創造論を支持した。これは理論化された学問が存在しない時代の、短いスパンでしか観察ができない人間の限界である、と。

長谷川　昔の人も聖書だけでなく、当時なりの経験に即して考えていた、とわかって新鮮でした。現在では地動説が「常識」として語られていますが、純粋に「観察」すれば、私たちの目には太陽が動いているように見えますよね。私たちが「経験」として目の当たりにしている現象は、いわば天動説にほかならない。

また通常は毛が白い羊に、稀《まれ》に黒い毛の個体が生まれる理由も、遺伝学で「メンデルの法則」が再発見された一九〇〇年まで解明されませんでした。そのときもまだ遺伝子のことはわからなかった。遺伝子で構造までわかったのは一九五三年です。

ですから本当の意味での理論としての生物学は、百年ちょっとの歴史しかありません。それまではただ経験的な観察の積み重ねでした。

そういった経験の積み重ねからでも、「億の単位で見たら変化が起こる」というのが進化論で、そんなことはないというのが創造論と言っていい。地動説が発見される契機になった望遠鏡の登場のように、観察が人間の経験を離れて精密化されない限り、進化論と創造論の対立は水掛け論から抜けられないでしょう。この論争の根本には、人間が観察に基づいて世界をどう解釈するかという視点があるはずですから。

森本　旧約聖書もそうなんです。「創世記」には、神が六日間で世界をつくった「天地創造」が書かれています。「第一日に光を造って光と闇を分け」に始まり、「第二日に天と地、第三日に草木、第四日に昼と夜、第五日に魚、獣、鳥を造った」と続きます、そして第六日に人間を造ります。すごく整然としているでしょう。なぜかと言えば、彼らが見ていた目の前の現実がまったく逆のカオス（混沌《こんとん》）と崩壊だったからです。

これは二千五百年ほど前に書かれた内容で、もちろん進化論とか宇宙のなりたちとか、科学的な描写を意図したわけではありません。そもそも新聞記者じゃないんだから、天地創造の逐一《ちくいち》を横で見ながら記録した、なんていうふうに読んでもらうつもりじゃないのです。

長谷川　それはたしかにそうでしょうね。

森本　どこの国にも創造論というのはあります。日本の『古事記』にも、イザナギノミコトとイザナミノミコトが神の命《めい》を受けて、国土や神を生む話が書かれています。聖書が描く創造物語の背景にあったのは、「亡国」というユダヤ民族の歴史的な経験です。彼らは人間や世界の存在の儚《はかな》さを身をもって経験しました。どんなに栄華と権力を誇った王国でも滅んでしまう。世界は自律的な力で存在しているのではない、ということを「無からの創造」で示そうとしたのです。もし自分が存在し、この世に秩序があるとしたら、それは自分以外のどこかから来るにちがいない、という認識です。そこから政治権力を相対化する批判的な視点も生まれました。

だから長谷川先生がお書きのとおり、創造信仰には当時の人びとの経験が深く反映されているわけです。

長谷川　でも、キリスト教のファンダメンタリスト（原理主義者）たちは、創造論を人間の経験から生まれたものとは捉えていませんよね。

森本　そうなんですよ。彼らは聖書に書かれた内容を字義どおりに受け取りますが、じつはそんな読み方は現代になって急速に流布したものです。古代教父のオリゲネスが書いているとおり、そういう字義どおりの読み方は、もっとも低級な聖書解釈として退けられていたのです。

長谷川　あれは、地球の四十六億年の歴史を否定するような態度ではないでしょうか。私に言わせれば、彼らは地質学も生物学も物理化学も無視している。

森本　と言うか、聖書がそういう現代の科学的知見と競合し対立する別の解釈を提示していると思っている。物理学でアリストテレスとアインシュタインを並べるようなものです。でも、われわれがいまアリストテレスを読む意味は別のところにあるでしょう。それと同じです。創造論は、存在の不安という人間の根源的な問いに向き合った言葉なんです。

長谷川　そういえば二十数年前ですが、人間行動進化学会でアメリカに行ったとき、当時ポスドクだった女性が、自分はルイジアナ生まれで周りはみんな創造論者だと言っていました。彼女自身はあるとき違うと気づいて、カリフォルニアの大学に移ったけれど、家族にはそんな話はできないって。

森本　周りがみんなそういう種類のクリスチャンだからでしょうね。でも違うと気づいたというのは、勉強することの価値だと思います。信仰の次元は、その後に開けてきます。神学者のなかには、中世のトマス・アクィナスのように、「天地創造は論証できることではなく、信じるしかないことだ」と明言する人もいます。

長谷川　おー、トマス・アクィナス！　すごい人物です。なにしろ「神は宇宙の元を造り、さらに森羅万象が動く『法則』をつくったけれど、あとはその法則に任せた」と主張しているのです。進化論的に言えば、これはとりもなおさず、種が変化することを認めている、ということです。

森本　トマス・アクィナスは「事物の存在はコンティンジェント（偶然）だ」と言っています。存在の原因が自分の外にある、ということです。自分以外の何ものかが原因で「存在させられている」。だからbeって他動詞なんです。

長谷川　文法上は自動詞だけど。

森本　はい、でも存在論的には他動詞です。たまたまそのときに存在しているだけであって、三角形の内角の和が二直角であるような内在的な必然性はない。だから論証できないのです。

一方、それぞれの時代の知識で説明できないことを全部、神のせいにするのは、神学では「God of the gaps――隙間の神」と呼ばれます。昔だったら、雷が落ちたり洪水が起こったりすると「神の怒りだ」というふうに、神を持ち出すのです。

長谷川　大昔、わからないことが多かった時代なら、それで話はすんだかもしれませんが、科学が進んで、いろんなことが科学で解明されてくると、「隙間の神」が持ち出せなくなりますね。

森本　はい、そんな隙間に神はいません。説明原理として神を使っているようでは、科学は進まないし、信仰も深まらない。それを乗り越えてゆくのが神学の務めだと思います。

長谷川　アメリカには、生物進化論を否定し、聖書に書かれた世界を展示する「創造博物館」（ケンタッキー州）という施設があるそうですね。

森本　ああ、あれをご存じですか。ものすごく凝ってますよ。創造博物館の展示では歴史的な変化はまったく起こらずに、あらゆる生物は六千年前につくられたことが示されています。

長谷川　でも化石とかの証拠があるじゃないですか。

森本　そんな議論は彼らには全然通用しません。その化石もまた、そのままの格好で神が六千年前にそこに置いたのだ、と解釈されてしまうからです。でも、聖書はそんなことを言っていないのです。「創世記」が語っているのは、命は人が自力で生み出したものではなく

「与えられたもの」である。だから私たちは必ず死ぬ。その地上に存在を許されたあいだ、人は自分の使命を果たすべく懸命に生きなければならない、ということです。与えられた生命の限界と、それゆえにこその尊さです。

あの人たちの読み方では、そういう理解が消し飛んでしまいます。じつはちょうどいま、雑誌『世界』にこの辺りのことを連載中です（「ボナエ・リテラエ——私の読書遍歴」）。

長谷川 すべての聖典は誰かが書いたものである以上、その誰かが生きた時代や場所、社会の情勢によって読み方にバイアス（先入観）がかかります。すなわち、解釈も含めてすべては人間の営みなのです。人間の感覚や経験は限られているという現実を、私たちは受け入れざるをえないのです。

リベラルアーツこそ民主主義の礎

森本 自分が知覚・理解できる範囲の限界といかに向き合うか。これこそが教養・リベラルアーツの問題であることは、長谷川先生も指摘されています。言い換えれば、自己の存在を離れ、一段上の視点から自分を俯瞰する人間のメタ認知力が問われている、ということでしょうか。

長谷川　自らがのめり込んでいる事柄について客観視したり、世の中で盛り上がっている議論に待ったをかけたりするには、一定の訓練が必要です。そこをできるようにするのがリベラルアーツ、学問による蓄積が必要な理由と言ってよいでしょう。

森本　いまここに自分がいるのは自分だけではなく、動物も鳥も魚も植物も、みんなと共にあるということを鳥瞰図のように見る、つまりメタ認識ですね。

三千年くらい前に書かれた旧約聖書に、「自分はいま、天の太陽や月、星を眺めて美しいとうっとりしているが、そのとき同時に、そんなふうに賛嘆している自分はいったい何者なのだろう、という疑問が湧いてくる」という記述があるんです（「詩篇」8）。メタ認識ができないと、そういう捉え方はできません。

長谷川　三千年前に？　それはすごい！

森本　先生の言葉に置き換えると、「入れ子構造で理解している」ということでしょうか。自分がそういう状態にあるということを、もう一つ別の自分が見ている。

聖書によれば、太陽も月も星も人間も動物も、神による被造物です。どれも神につくられた存在という意味では平等である。だからキリスト教本来の視点では、人間を絶対視せず、つねに自己を点検する姿勢があって然《しか》るべきなのですが、現実は全然そうなっていませんね。

カントはかつて「悟性《ごせい》」と「理性」を区別しました。「悟性」とは見えるものを認識する力であり、「理性」とは見えないものを既知のものから推測する力です。点と点をつないで線を描くのが、人間の理性の優れた力です。

しかし一方で、線の引き方を間違えると、陰謀論にはまってしまう。だから私は、宗教も陰謀論も根っこは同じで、どちらも人間の認識の構造に由来する、と考えています。一歩間違えれば、我田引水《がでんいんすい》で自己を絶対視するカルトに陥りかねない危険性を含んでいます。

長谷川　多くの人は、宗教が不合理な側面を孕《はら》んでいることは理解しているはずです。しかし、ふと自分の境遇にだけ目を向けて、閉ざされた認識に陥ってしまうことがあります。

たとえば「なぜ私はいつまでも報われないのか」「こんなに一生懸命働いているのに、なぜお金持ちになれないのか」というように。本当の客観視は難しく、現状を政治や社会の状況と直接「つなげる」がゆえに、不満の暴発や陰謀論に走ってしまうのかもしれません。

森本　そのとおりです。たとえば仕事がないときに、「自分の努力が足りない」とか、「これから自分が成長していくために神が試練を与えてくれたんだ」などと、自分をメタ認識することができれば、前向きに行動するフレームワークをつくれるでしょう。「自分が不遇なのは移民のせいだ」と都合よく短絡的に線を引いてしまわないところに、各人が培ってきた教養、すなわちリベラルアーツの素養が関わってきます。自分の限界に気づき、視界の外にある要素の存在に思い至れるかどうかですね。

長谷川　リベラルアーツや教養の基本は、いま教えられている常識をそのまま受け入れず、「なぜ」と問いかける批判的精神です。

日本の大学で「教養学部不要論」が叫ばれた一九九〇年代、とくに財界から、「教養は役に立たない。学生はもっと社会の役に立つ専門性を身につけるべきだ」というリベラルアーツ否定論が出てきました。一方、当の教員たちは制度や予算をめぐる権力争いをするばかりで、「教養とは何か」という肝心の議論をしなかったと思います。そうではなくて「教養とは何かと言い出したら千差万別で話がまとまらない。それよりもカリキュラムの改変の話をしよう」という方向でした。当時の大学に限定された話ではなく、日本全体がそうした風潮でした。

森本　長谷川先生はその後、アメリカに渡って教養教育の名門として知られるイェール大学で教えられていますね。

長谷川　いまでもよく覚えているのは、イェール大学では日本と対照的に「教養とは何か」の定義がはっきり掲げられていたことです。かいつまんで言うと、先人の知り得たものを総合的・大局的に把握することで、いま自分のいる立ち位置を理解し、これから何を学ぶべきかを考える縁《よすが》を得ることです。

先人の学びを総合的に把握するには、自然科学、人文科学、社会科学、芸術、体育、語学のいずれの力も欠けてはならない。語学については単に会話だけではなく、母語とは異なる言語を学ぶことで、異なる世界観を理解することが、明確な目的として共有されていました。

森本　イェール大学のリベラルアーツの矜持ですね。大学が掲げる理念に目を向け、そこから日本の大学の現状を批判的に顧《かえり》みる視点も、貴重でありがたいですね。

長谷川　アメリカにおける教養のもう一つの意味は、民主主義との関わりです。イェール大学に限らず、ハーバードでもスタンフォードでも、民主主義とは不完全な存在である人間が社会の健全さを保つための道具であり、民主主義を支えるためには批判的精神をもつ人を育てなくてはいけないという共通認識があります。日本の大学にもっとも欠けている社会的視点ではないでしょうか。

他分野の人との関わりを増やせ

森本　おっしゃるように日本には、リベラルアーツが民主主義の基盤であるという発想がありませんね。アメリカの大学は、自分の大学に課せられたミッションは何かを考え直して、そのミッションを遂行していくのにふさわしい学生を取ります。最近はSATなどの標準テストも必須ではなくなっています。代わりに一人一人の学生の背景をさまざまな角度から総合的に判断して、多様な学生層をつくろうとします。

一方、日本の大学は自校の公共的な使命に思いを馳せず、どこもひたすら受験者数の拡大にばかり躍起《やっき》になっている気がします。

教養に関する誤解も大きい。大学における学士の本来的な目的はリベラルアーツです。一般教養の講義でこそ、名物教授が最高の内容を教えてその学問の魅力を伝えなければいけない。にもかかわらず、そういう偉い先生は専門を教えるのがもっぱらで、一般教養は軽視されています。非常勤講師に任せておけばよいというくらいの感覚です。

長谷川　そうなってしまう原因の一つは、「縦割り」にあるのではないでしょうか。大学、企業、官公庁がそれぞれ自分たちのことしか考えず、ほかは任せ切り。横の連携がまったくありません。

　あと学生を採用する企業側の意識にも問題があるでしょう。有名企業の経営者や幹部を大学に招いて講演をしてもらうと、みなさん決まり文句のように「自分は大学で何も勉強してこなかったのですが……」と口にされる。

　そんな具合だから、自社の採用に際しても「大学で何をどう学んできたか」を問うことがほとんどないのでしょう。部活動を通じてどういう人脈をつくったかとか、精神的に研鑽を積んだかといったことだけを質問して、あとは大学のランキングを見て採用を決めているように思えます。

森本　近年は揺れながらも少しずつ、リベラルアーツを大切にしようという動きが出てきたように感じています。二〇一四年に世界トップ水準の大学との交流を実現するための取り組みとしてSGU（スーパーグローバル大学創成支援事業）が実施されました。指定された大学は、最大十年間、補助金を受け取り、大学改革と国際化を進めることができます。
　そこで、当時勤めていた国際基督教大学も応募しました。そのときの最終インタビューで、ある企業の方から「国際社会に出て、英語でバンバン交渉し、契約を取ってくるようなアグレッシブな人材が出ますか?」と質問されました。ああやっぱりそういう人材を望んでいるのかと、ちょっと残念に思いました。

そこで私はこう答えました。「契約というのは、英語がペラペラしゃべれれば取れるというものではありません。最後は、相手が信頼に足る人物かどうかで判断されるでしょう。大事なのは英語のスキルでも胆力でもなく人間性です。リベラルアーツはそういう全人格的な成熟を大事にする教育です」。それでSGUの指定をいただきました。

長谷川　おめでとうございます。たしかに教養学部つぶしの動きがあった当時は、即戦力になる人材を育てる、という考え方でした。しかしいまはもう「即戦力」という概念自体が通用しない時代です。技術の進むスピードが速すぎて、大学の四年間で習ったことがそのまま使えないんです。

そこで企業のトップも「いろんな知識があって、自分の頭で考えられる人が強いね。そういう力をつけるにはリベラルアーツだね」という考え方に傾いてきたのですが、言葉どおりには受け取れません。彼らが目指しているのは、やはり「お金を稼いでくれる人間」なのでしょう。

いずれにせよ、大学での研究が就職活動で重視されないからこそ、大学側も気が緩《ゆる》み、教員は好き勝手なことを話し、学生は講義を聴かないという悪循環が生まれる。そして大学の研究も蛸壺《たこつぼ》化していくのです。

森本　おっしゃるとおり。結局のところ教授たちはみな、仲間内で固まって専門の話をしているほうが楽なんです。異なるフィールドの人と「他流試合」をして、想定外の考えに接して対応する力を養うことこそが大学教育の目的であり、リベラルアーツの基本であると私は思います。

やっぱり先生たちは〝昔の頭〟なんですね。みんな一昔前の知的エリートの道を進んで大学教授になった人たちですから、大学は専門の研究をするところだと思い込んでいます。それは大学進学率が一五％くらいの時代の話です。

長谷川　いまは五〇％ですからね。

森本　そう、五〇％です。大学教育はいまや、進学率一五％未満のエリート段階から、五〇％未満のマス段階を経て、五〇％以上のユニバーサル段階へと量的に拡大しています。

それにともない教育の目的や機能、内容・方法、学生の選抜基準などが質的に変容してきました。エリート段階では国家や社会の指導者となる資質や素養の形成が目的でしたが、マス段階では大規模クラスでの講義が増え、それにゼミなどの少人数指導が加わります。ユニバーサル段階になると、学生の学力や卒業後の進路が多様化し、大学と社会の境界線も曖昧になっていきます。

長谷川　いまはそもそも大学の四年間で何かの専門家になるなんて、無理でしょう。

森本　はい。国際社会で働くには、少なくとも修士号は必要だし、専門家なら博士号が不可欠です。だから学部課程ではいっそうリベラルアーツをやるべきなのです。

ところが、日本は大学院への進学者が他国に比べて圧倒的に少ない。いまの日本は驚くほど低学歴社会です。

長谷川　ドイツも似たような状況のようです。ドイツの学長の集まりに参加した友人が言ってましたが、トップの執行部は変わらなくてはいけないと思っているけれど、いちばん分厚い層をなす先生方の頭が昔のままだと。そういう教授たちを「永久凍土」と呼んでいるそうです。上からは執行部、下からは学生たちが熱を出して、どうやって永久凍土を溶かしていくかが問題だということでした。

森本　ドイツでもそうですか。日本でそんな話をすると、先生たちから「だったら、大学教育の目的は何なのですか」とよく聞かれます。私の答えはこうです、「民主社会の市民を育てること」——。多様な人びとが共存できる社会をつくる、という目的を実現するために、教授たちは自分と異なる考え方や意見の人たちとも積極的に交流していかなくてはいけないと思います。

ギフテッドよりラウンデッド

森本　最近、初等教育で突出した才能をもつ子どもを支援する「ギフテッド教育」が話題になっていますね。文部科学省は二〇二三年度から施策に乗り出したようです。

長谷川　ギフテッドの子どもたちのなかには、発達障害などを抱えた子も含まれていますね。これまで彼らは、ほかのみんなと同じ普通の教育を受けてきました。そのために能力を発揮する場を与えられないままに抑えつけられたり、みんなと同じようにできないことがあるとダメだと言われたり、非常に弱い立場にあったと思います。

ただ一部の子どもに特別な教育をすれば才能が花開くかと言えば、そう簡単な話ではないのです。昔の……私の時代もそうでしたが、「みんなと同じようにやりなさい」と言われたから、その子のもつ特異な能力がつぶされたかと言うと、そうでもないと思うんです。

自分のやりたいようにやらせてはもらえない、世の中ってそういう理不尽なものなんだと身をもって知る。そういうなかでどうすれば思いどおりに生きられるか、いろんな術を身につけていく。それもダイバーシティ（多様性）教育の一環として大事なことでしょう。単に特別扱いすればいい、というのはちょっと違う気がします。

森本　海外ではすでに、飛び級制度などを含むギフテッド教育が進んでいます。ただし日本でも急いで推進すべきかと言えば、私は懐疑的です。

もちろん、幼いころから才能が発揮されて成長する子どものケースもあるでしょう。他方、飛び級でどんどん先に進学させることで、勉強以外の学校生活という面でつらい経験をする子どもも珍しくない。尖《とが》った才能を伸ばすことも大事だけれども、教育上、ラウンデッド（丸みを帯びた）でバランスの取れた人格形成をすることがより大切だと思います。

アリストテレスは「真の教養人は一芸に秀でてはいけない」と言っています。たとえばフルートなら、演奏したり、聞いて楽しんだりする能力は必要だけれど、上手になりすぎてはいけないと言うのです。特別な才能を伸ばすことばかりに腐心すると、円環的な成長の妨げになるから。

長谷川　一つの分野に特化した天才であっても、アビリティ（能力）、プリファレンス（好み）、サポート（周りの支援）という三つの条件がなければ、成長して成功を収めるのは難しい。

たとえば、小学校時代にピアノが格別に上手な子がいて、親としては臨海学校の行事を休ませようとするほどの英才教育を施しても、その後本当にプロの世界で活躍するとは限りません。また、本人に才能があっても、周囲がそんなことに意味を見出さず、エンカレッジしなければ才能は花開きません。

あと、イギリスは歴史的に階級社会でしょう？　いまだにその意識が強くて、労働者階級の子どもは非常に優秀で、本人が学問の世界に進みたいと望んでも、周りがまったくサポートしないんです。「学問なんてするだけムダだ。もっと稼げ」みたいに言われる。ケンブリッジにいたときにそういう学生がいて、驚きました。

森本　遺伝子だけで決まるのではなく、社会や家庭の環境といった要因が複雑に絡み合いますからね。

長谷川　自分が心から好きなことであっても、能力と周りのサポートがなければ、壁に直面するのが現実です。

森本　え？　皿回しお上手なんですか？

たとえば私は皿回しをやらせたら、きっと上手にできると思うんです。

長谷川　きっと。でも、やりたいとは思いません。好きにはなれないでしょう。また車の運転が好きで、下手ではないと自負しています。けれども、主人はもっと上手で私の運転を小馬鹿にしてくるから、夫婦で乗るときはハンドルを握ることをやめました（笑）。

森本　まさしく、周りのサポートの条件がそろっていないわけですね（笑）。

将棋棋士の藤井聡太さんや野球の大谷翔平さんを見ていて驚くのは、卓越した能力に加えて、人格的にも優れていることです。家族や友人、師匠やチームとの関わりのなかで、まさしくラウンデッドな社会性を獲得してきた稀有《けう》な存在なのかもしれません。

AIに頼っていても教養は育たない

森本　私は折に触れて昨今の「ファスト教養」の流行を話題にし、「教養とは、ファッションのように〝身につける〟ものではない」と訴えてきました。ぜひこの機会に、長谷川先生のお考えもうかがえればと思います。

長谷川　手っ取り早く教養を身につけるなんて、どだい無理な話ですよ。最近は、売れた本の内容をダイジェストする動画やウェブサイトもあると聞きます。しかし他人任せの要約だけをインプットして、自分の考えが深まるはずがありません。
自分で調べずインターネットに解説を求めてばかりでは、人類が「ＣｈａｔＧＰＴ」化していくようなものです。

森本　そもそも「どのように要約するか」という能力自体が、教養に基づく力です。同じ本を読んでも、長谷川先生と学生では着眼点も深さも違うでしょう。

長谷川　以前に取材で「多くのビジネスパーソンは『本を読んでおいたほうがよいと思うけれど、どんな本を読んでいいのかわからない』ので、おすすめの本を教えてください」と尋ねられたことがあります。でも読むべき本は人それぞれで、そもそも誰かに案内されるものではないんですよ。

森本　まさにファッションのように「本を読む」自分を演出して、格好をつけたいのかもしれませんね。

長谷川先生は日本で教養離れが起こったことについて書いておられますね。その理由の一つに、いわゆる「教養人」が世間から遊離して机上の空論を弄《もてあそ》ぶことを挙げてらした。スノビッシュな教養主義と言いますか、そういったものに対する拒否反応はあると思います。それで「教養なんて役に立たない。ただペダンチック（衒学的《げんがく》）、学のあることをひけらかしたいだけだ」というふうに批判するのでしょう。

しかし一方で、そういう人たちにも「教養人だと見られたい」気持ちもある。それで誰かが内容をダイジェストしてくれた本や動画を見るという形で、ファスト教養に走るのかもしれません。

長谷川　教養とは、小さいころからの興味関心に沿って学んできた蓄積をもとに、「この分野をもっと知りたい」「このテーマは全然触れてこなかったから本を読んでみよう」と整理しながら向上していくものです。

つまり、本を読むにしても内容を要約するにしても、その人ならではの過程とやり方があるはずです。それを他人任せにするなんて、とんでもない。

大事なのは、何かを「知っている」というだけではなく、知り得た「知」を活用する人になることです。広い興味をもって知識を集め、それを構造化しながら自分なりの意見・疑問をもつからこそ、未知な部分への興味がより広がっていくのです。そういったプロセスを飛ばして得るファスト教養では本物の教養は身につきません。

ChatGPTとの向き合い方

森本　二〇二三年二月に発売された『夢を叶える力』（堀江貴文著、パソコン太郎編集）という本は、なんと中身の九九％がChatGPTによって書かれたそうです。どうやら、「堀江貴文さんが書きそうな本を」という指示を受けたAIが執筆を代行したのだとか。

しかしAIに本が書けるとして、問題は「その本が良書かどうか」を判断することはAIにはできません。『読売新聞』の書評委員のあいだでも「AIに書評をさせたらどうだろう」なんて冗談が飛び出しましたが、本の内容を判断するには教養の蓄積が必要で、書評までは任せられません（笑）。

長谷川　まさに「中国語の部屋」と同じですね。AIは過去の膨大なデータをもとに体裁の整った文章は書けるけれど、意味を理解しているわけではない。私は、「意味を理解する」ことにこそ人間らしさがあると考えています。AIばかりに頼っていては、教養など育ちませんよ。

森本　冒頭に話した霊長類研究者と同じく、AIの研究者も「人間もコンピュータも本質は変わらない」という考えを強調したがりますよね。でも私は、ＡＩは最終的には自意識をもつことはできないと考えているんです。

いちばんの違いは、生物には身体があり、「死」があるということです。人生には限りがあって、身体にも限界がある。だからこそ人間には自意識が芽生《めば》えるのではないでしょうか。

一方でＡＩには、原理的に限界がありません。壊れたら入れ替えるし、足りないところは付け足していけばいいだけだから、自分という存在がどこまでか、という先ほどの自己還帰的な「メタ認識」が発生しない。空間的にも時間的にも。だから自意識が生まれようがないのです。

長谷川　私も前に、『毎日新聞』に森本先生とよく似た問題意識を寄稿しました（「ロボットの未来　ＡＩは『人生』語れるか」『毎日新聞』二〇二三年三月二十六日）。人間には「いつか死ぬ」という限界があるからこそ意味があるという趣旨です。

そのことを考えさせられたのは、イギリスの科学雑誌で人間のような姿をしたＡＩロボットが出てくる映画の紹介記事を読んだときのことです。作品の舞台は未来の社会で、ある日突然孤児になってしまった九歳の女の子が、叔母さんからＡＩロボットを与えられます。そのロボットに課せられた使命は、女の子を守り育てることなんですね。

ただロボットには「子どもを守り育てる」ことの意味がわからない。それですべての危害を除去すればいいんだと、たとえば子どもをいじめようとした男の子を殺す、というようなことまでやってしまいます。結果、女の子は何も学ばないし、成長もしなかった。そういうお話でした。

書評の評者は「子どもを危害から守りなさいという命令はけっこうだが、教育はただ守るだけではなく、危害にあったときに自分で何とか対処できるようにさせることに意味がある。ロボットにこの意味がわかるか？」と書いていました。

それを読んで私は、そもそも「意味」とは何か、と考え込んでしまいました。難しいのですが、あえて一言で言うならば、単語や文章の理解だけにとどまらず、言葉が発せられた状況や過去の記憶、本人や他者の感情などあらゆる要素を踏まえて総合的に捉えられる実感のことです。

意味を理解できるロボットをつくることは、一人の人間をつくることと同義です。であるならば、そのロボットはすでに数多《あまた》いる厄介な人間と同じで、何か特別な意義があるのでしょうか。

たとえ意味のわかるロボットができたとして、その意味は一つなのか。それとも人間が同じことを前にしても人によって別の意味を構築するように、ＡＩごとに異なる意味をもつのか。もし後者だとしたら、ある意味、厄介な人間がもう一人できる、というだけのような気がします。

森本　人がそれぞれ異なった意味を構築するのは、背景となる経験の複雑さがあるからでしょう。ある文章を読んだ複数のＡＩがみな同じ意味を見出すならば、複数個存在する意義はないことになる。結局は個性の意義という問題です。

長谷川　学生の作文や論文がやがてＣｈａｔＧＰＴで書かれるのではないかという問題も物議を醸していますね。

森本　じつは私、卒業式の式辞で何を言おうかと、ＣｈａｔＧＰＴに聞いてみたんですよ。「面白いエピソードを入れて、学長らしい式辞をつくってください」とリクエストしてね。そうしたらこんな文章が出てきました。「私がこの大学の学生だったころ、パンケーキを食べてアメリカを感じました。中国のおいしいチャーハンを食べたこともいい思い出です。みなさんもいろんな国の文化を経験して成長してください」という趣旨です。

それをそのまま、卒業式でしゃべりました。学生たちは最初は何の疑いもなく聞いていましたが、当然、「あれ？　変だな」という空気になりますよね。男の私が女子大で学生生活を送るわけはありませんから。そこで後半に種明かしをして、今後はＡＩに真似のできない個性や人格を成長させてください、と結びました。

　ＡＩは進化してゆきますので、今後は事実的な間違いなどは減るだろうと思いますが、「面白いエピソードを入れて文章を書く」のは難しい。「面白い」というのは個人が経験する個別的なもので、ＡＩには一般性のある話しかつくれないからです。技術が進歩して汎用性が広がるとしても、大多数の人が面白いと思うなら、結局それは月並みな話ということになります。

長谷川　知り合いから聞いた話ですが、ある高校生がよいレポートを提出したら、周りから「ＣｈａｔＧＰＴに書いてもらったんでしょ」と言われて悲しんだそうです。レポートを読む側にも教養がないと、オリジナリティがあるかどうかを見極められません。

森本　そこで今度は、レポートの良し悪《あ》しを判断できるＡＩをつくろうという話になりそうです。

長谷川　いたちごっこですね……。教養を体得したいならば、ＡＩに頼るべきではありません。まずは、自らの人生を振り返ったときに何が印象に残り、そのとき何を感じて行動したかなど、自分自身の記憶と向き合うことから始めるべきでしょう。

おわりに

　プラトンの『饗宴』を読むと、人びとが和気藹々《わきあいあい》と集まり、何のこだわりもなく自由闊達《かったつ》に論じ合っています。いかにも「のどかな」光景ですが、じつはあの饗宴は、アテナイの運命を決する長い戦争のさなかに行われていたのです。集まった人のなかには、戦争の英雄もいましたし、ソクラテスのように、アテナイがこの戦争に敗れる運命にあり、やがてそれがギリシア文明の崩壊をもたらす、ということを予期していた人もありました。それでも彼らは、愉快な語り合いの場をもつことができたのです。立場の違いがあってもお互いに平等で、教養があっても気取ることなく、自分たちの憧れや愛や友情やエロスについて、心ゆくまで語り合うことができたのです。

　私たちはいま、ほんの少し前までは想像もしていなかったような戦争と混乱の時代を生きています。プラトンの時代もそうでした。スパルタとの戦争の後、ギリシアの民主政は衰退し、デマゴーグが蔓延し、疫病が流行し、外国勢力の支配が強まってゆきました。それでも彼らは、自由に語り合うひとときをもつことができたのです。人間は時代や環境に深く左右されますが、同時にその現実から抜け出して、自分という存在を外から超越的に眺める能力をもっています。そこに、「人間のうちにある最善のものがもつ生命力の証」がある——このような生命力を養うのにもっとも適しているのが、リベラルアーツの学びです。

対談のお相手をしてくださった四人の先生方に、心より感謝を申し上げます。いずれも私が遠くから尊敬申し上げてきた方々ですが、対談の企画をいただいたときには、いったいどんな内容になるのか、予測ができませんでした。対談という企《くわだ》てそのものが、未知の世界への招きです。こうして四つの冒険が一冊の本にまとめられると、思いがけずいくつかのテーマがそこで互いに響き合っていることがわかり、驚きと感謝の思いを新たにしました。

PHP研究所の中西史也さん、宮脇崇広さんには、日頃からお世話になっています。リベラルアーツ以外の対談もやりましたし、人生相談の連載もやりましたね。いつも「無理難題」と思われるお招きで恐れ悩み苦しむのですが、そのたびに適切な助言をくださり、励ましをいただいて何とかここまで来ることができました。編集のご努力に感謝を申し上げます。

二〇二四年一月

森本あんり

参考文献

「はじめに」および第一章～第二章の執筆に際し、使用した参考文献を出版年順に掲載

- James Bryant Conant, *General Education in a Free Society: Report of the Harvard Committee*, Harvard University Press, 1945.
- プラトン『国家』（上下）、藤沢令夫訳、岩波文庫、一九七九年。
- アラン・ブルーム『アメリカン・マインドの終焉』、菅野盾樹訳、みすず書房、一九八八年。
- 潮木守一『アメリカの大学』、講談社学術文庫、一九九三年。
- シェルダン・ロスブラット『教養教育の系譜――アメリカ高等教育にみる専門主義との葛藤』、吉田文・杉谷祐美子訳、玉川大学出版部、一九九九年。
- Thomas R. Cech, "Science at Liberal Arts Colleges: A Better Education?" *Daedalus*, 128:1 (Winter, 1999): 195-216.
- 有本章編『大学のカリキュラム改革』、玉川大学出版部、二〇〇三年。
- 松沢弘陽「リベラル・アーツの系譜――新渡戸稲造・南原繁・丸山眞男」、『東京女子大学学報』二〇〇六年一一月号、一頁。
- 山田耕太「ギリシア・ローマ時代のパイデイアと修辞学の教育」、『敬和学園大学研究紀要』一七号

（二〇〇八年）、二一七〜二三一頁。
・潮木守一「欧米におけるリベラル・アーツの起源と教訓」、『学術の動向』一三巻（二〇〇八年）五号、一〇〜一五頁。
・橋爪孝夫「教育基本法成立過程に見る立法者の『大学』に関する意識について――田中耕太郎、南原繁を中心に」、『大学アドミニストレーション研究』創刊号（二〇一一年）、三八〜五二頁。
・プラトン『饗宴』、中澤務訳、光文社古典新訳文庫、二〇一三年。
・Mark Koba, "Why Businesses Prefer a Liberal Arts Education," *CNBC News*, April 15, 2013.
・大口邦雄『リベラル・アーツとは何か――その歴史的系譜』、さんこう社、二〇一四年。
・今田晶子「新制東京大学の創設と総長南原繁のイニシャチブ――教育改革を中心に」、『大学経営政策研究』五号（二〇一五年）、八一〜九七頁。
・福留東土「二〇世紀前半におけるハーバード大学のカリキュラムの変遷――自由選択科目制から集中配分方式へ」、『大学経営政策研究』五号（二〇一五年）、四九〜六三頁。
・山田耕太「人間の教育としてのリベラルアーツ」、『大学時報』二〇一七年一月号、一二〜一七頁。
・絹川正吉『リベラル・アーツの源泉を訪ねて』、東信堂、二〇一八年。
・World Economic Forum, *Insight Report, The Future of Jobs Report*, 2018.
・日比谷潤子「理想の学士課程教育」、『IDE 現代の高等教育』二〇一九年一月号、二六〜三〇頁。
・ジェニファー・ラトナー＝ローゼンハーゲン『アメリカのニーチェ――ある偶像をめぐる物語』、岸正樹訳、法政大学出版局、二〇一九年。

・森本あんり「国際基督教大学（ICU）の教養教育」、『IDE 現代の高等教育』二〇一九年五月号、二二～二四頁。
・中央教育審議会大学分科会大学院部会「人文科学・社会科学系における大学院教育改革の方向性中間とりまとめ」、二〇二二年八月三日。
・David Brooks, "In the Age of A.I., Major in Being Human," *The New York Times*, February 2, 2023.
・アリストテレス『政治学』（上下）、三浦洋訳、光文社古典新訳文庫、二〇二三年。
・村田治「大学院におけるリカレント教育」、『じゅあ』七一号（二〇二三年）、八頁。
・楠木建「イノベーションと『保守』の意外な関係」、『Voice』二〇二三年一〇月号、一一八～一二四頁。

本書の第三章～第六章の対談については、それぞれ下記の『Voice』記事を大幅に加筆・修正のうえ、掲載しています。第一章～第二章については、本書が初出です。

第三章：『Voice』2023年10月号「宗教は『学ぶ』ものではない」
第四章：『Voice』2022年7月号「『国語と教養』を軽視する愚かさ」
第五章：『Voice』2022年12月号「日本人が『新しい知』を生む時代へ」
第六章：『Voice』2023年8月号「ChatGPTで教養は得られない」

PHP新書
PHP INTERFACE
https://www.php.co.jp/

森本あんり［もりもと・あんり］

1956年、神奈川県生まれ。東京女子大学学長。国際基督教大学（ICU）、東京神学大学大学院、プリンストン神学大学院博士課程を修了（Ph.D.）。国際基督教大学教授、プリンストン神学大学院客員教授、バークレー連合神学大学院客員教授を経て、2022年より現職。2012-2020年国際基督教大学学務副学長、2022年同大学名誉教授。
近著に『反知性主義』『不寛容論』（いずれも新潮選書）、『異端の時代』（岩波新書）、『宗教国家アメリカのふしぎな論理』（NHK出版新書）など。

編集協力——千葉潤子

教養を深める
人間の「芯」のつくり方
（PHP新書 1386）

二〇二四年二月二十九日 第一版第一刷

著者——森本あんり
発行者——永田貴之
発行所——株式会社PHP研究所
東京本部——〒135-8137 江東区豊洲5-6-52
ビジネス・教養出版部 ☎03-3520-9615（編集）
普及部 ☎03-3520-9630（販売）
京都本部——〒601-8411 京都市南区西九条北ノ内町11
組版——有限会社メディアネット
装幀者——芦澤泰偉＋明石すみれ
印刷所 製本所——図書印刷株式会社

ISBN978-4-569-85654-4

ＰＨＰ新書刊行にあたって

「繁栄を通じて平和と幸福を」(PEACE and HAPPINESS through PROSPERITY)の願いのもと、ＰＨＰ研究所が創設されて今年で五十周年を迎えます。その歩みは、日本人が先の戦争を乗り越え、並々ならぬ努力を続けて、今日の繁栄を築き上げてきた軌跡に重なります。

しかし、平和で豊かな生活を手にした現在、多くの日本人は、自分が何のために生きているのか、どのように生きていきたいのかを、見失いつつあるように思われます。そして、その間にも、日本国内や世界のみならず地球規模での大きな変化が日々生起し、解決すべき問題となって私たちのもとに押し寄せてきます。

このような時代に人生の確かな価値を見出し、生きる喜びに満ちあふれた社会を実現するために、いま何が求められているのでしょうか。それは、先達が培ってきた知恵を紡ぎ直すこと、その上で自分たち一人一人がおかれた現実と進むべき未来について丹念に考えていくこと以外にはありません。

その営みは、単なる知識に終わらない深い思索へ、そしてよく生きるための哲学への旅でもあります。弊所が創設五十周年を迎えましたのを機に、ＰＨＰ新書を創刊し、この新たな旅を読者と共に歩んでいきたいと思っています。多くの読者の共感と支援を心よりお願いいたします。

一九九六年十月

ＰＨＰ研究所

PHP新書

［社会・教育］

- 418 女性の品格　坂東眞理子
- 495 親の品格　坂東眞理子
- 504 生活保護vsワーキングプア　大山典宏
- 522 プロ法律家のクレーマー対応術　横山雅文
- 586 理系バカと文系バカ　竹内 薫［著］／嵯峨野功一［構成］
- 618 世界一幸福な国デンマークの暮らし方　千葉忠夫
- 621 コミュニケーション力を引き出す　平田オリザ／蓮行
- 629 テレビは見てはいけない　苫米地英人
- 854 女子校力　杉浦由美子
- 869 若者の取扱説明書　齋藤 孝
- 888 日本人はいつ日本が好きになったのか　竹田恒泰
- 987 量子コンピューターが本当にすごい　竹内 薫／丸山篤史［構成］
- 994 文系の壁　養老孟司
- 1022 社会を変えたい人のためのソーシャルビジネス入門　駒崎弘樹
- 1025 人類と地球の大問題　丹羽宇一郎
- 1032 なぜ疑似科学が社会を動かすのか　石川幹人
- 1040 世界のエリートなら誰でも知っているお洒落の本質　干場義雅
- 1059 広島大学は世界トップ100に入れるのか　山下柚実
- 1073 「やさしさ」過剰社会　榎本博明
- 1079 超ソロ社会　荒川和久
- 1087 羽田空港のひみつ　秋本俊二
- 1093 震災が起きた後で死なないために　野口 健
- 1106 御社の働き方改革、ここが間違ってます！　白河桃子
- 1125 『週刊文春』と『週刊新潮』闘うメディアの全内幕　花田紀凱／門田隆将
- 1128 男性という孤独な存在　橘木俊詔
- 1140 「情の力」で勝つ日本　日下公人
- 1144 未来を読む　ジャレド・ダイアモンドほか［著］／大野和基［インタビュー・編］
- 1146 「都市の正義」が地方を壊す　山下祐介
- 1149 世界の路地裏を歩いて見つけた「憧れのニッポン」　早坂 隆
- 1150 いじめを生む教室　荻上チキ
- 1151 オウム真理教事件とは何だったのか？　一橋文哉
- 1154 孤独の達人　諸富祥彦
- 1161 貧困を救えない国 日本　阿部彩／鈴木大介
- 1164 ユーチューバーが消滅する未来　岡田斗司夫
- 1183 本当に頭のいい子を育てる 世界標準の勉強法　茂木健一郎
- 1190 なぜ共働きも専業もしんどいのか　中野円佳

1201 未完の資本主義　ポール・クルーグマンほか［著］／大野和基［インタビュー・編］
1202 トイレは世界を救う　ジャック・シム［著］／近藤奈香［訳］
1219 本屋を守れ　藤原正彦
1223 教師崩壊　妹尾昌俊
1229 大分断　エマニュエル・トッド［著］／大野 舞［訳］
1231 未来を見る力　河合雅司
1233 男性の育休　小室淑恵／天野 妙
1234 AIの壁　養老孟司
1239 社会保障と財政の危機　鈴木 亘
1242 食料危機　井出留美
1247 日本の盲点　開沼 博
1249 働かないおじさんが御社をダメにする　白河桃子
1252 データ立国論　宮田裕章
1262 教師と学校の失敗学　妹尾昌俊
1263 同調圧力の正体　太田 肇
1264 子どもの発達格差　森口佑介
1271 自由の奪還　アンデシュ・ハンセンほか［著］／大野和基［インタビュー・編］
1277 転形期の世界　Voice編集部［編］
1280 東アジアが変える未来　Voice編集部［編］
1281 5000日後の世界　ケヴィン・ケリー［著］／大野和基［インタビュー・編］／服部桂［訳］
1286 人類が進化する未来　ジェニファー・ダウドナほか［著］／大野和基［インタビュー・編］
1290 近代の終わり　ブライアン・レヴィンほか［著］／大野和基［インタビュー・編］
1291 日本のふしぎな夫婦同姓　中井治郎
1298 子どもが心配　養老孟司
1303 ウイルス学者の責任　宮沢孝幸
1307 過剰可視化社会　與那覇潤
1315 男が心配　奥田祥子
1321 奇跡の社会科学　中野剛志
1326 ネイチャー資本主義　夫馬賢治
1328 「立方体が描けない子」の学力を伸ばす　宮口幸治
1331 何もしないほうが得な日本　太田 肇
1334 指導者《リーダー》の不条理　菊澤研宗
1336 虐待したことを否定する親たち　宮口智恵
1343 ディープフェイクの衝撃　笠原和俊
1356 先生がいなくなる　内田良／小室淑恵／田川拓麿／西村祐二
1362 老い方、死に方　養老孟司
1367 左利きの言い分　大路直哉
1374 「今どきの若者」のリアル　山田昌弘［編著］